光文社文庫

和菓子のアン

坂木　司

光　文　社

Kの存在とAのVサインに

目次

和菓子のアン

高校を卒業する前に偶然、街頭インタビューのようなものを受けたことがある。

インタビュアーに「将来の夢は？」と聞かれて友達の二人は「とりあえず大学生活を満喫すること！」や「専門学校出て、美容師になります」なんて元気よく答えていた。私はそれを横目で見ながら、ひそかに焦《あせ》っていた。一体、この場合なんて答えるべきなんだろう。なんて答えれば、無難なんだろう。

そして案の定、次は私の番だった。

「そっちの君は？」

とても無邪気な様子で男性がたずねる。つかの間口ごもった私を見て、友達二人はようやく微妙な事態だということに気がついたようだ。

だって私、進路どころか進学すら決まっていない。

「あれ。もしかして浪人とかしちゃったのかな」

半分当たりで半分外れ。さらに上《うわ》っ面《つら》だけみたいな励ましが聞こえてくる。大丈夫、一年の遅れなんて気にする必要ないよ。僕だって浪人生だったんだ。

その後ろで、友達がなんとも言えない表情をしてこっちを見ている。そうだよね。助け舟を出そうにも出せないもんね。でも大丈夫。

「将来の夢……」

私はちょっと大げさに首をひねって、次の瞬間ぱっと笑顔を作ってこう言った。

「将来の夢は、自分のお金でお腹いっぱいお菓子を食べることです！」

よし、ばっちり。きっとこのシーン、テレビ的にはおいしいよ。だってほら、インタビユアーがお腹抱えて笑ってるもん。

「そうか、そっちかあ」

若いっていいよなあ。笑いまくる男性の向こうで、友達もほっとしたような表情を浮かべている。そう、きっとこれが正解。これでいいんだ。


夜、お風呂の中でじっと手を見る。手に職はない。かといって専門学校に行くほど好きなことも見つかってない。しかも粗《あら》びきウインナーみたいにぽってりした指。綺麗なネイルなんて百万光年の彼方《かなた》って感じで、見るたびにがっかりする。

「このままじゃ高卒のフリーターになるだけだぞ」

担任の先生はそれなりにいい人で、卒業するまで私のことを気にかけてくれていた。でも、大学に行きたいって思うほど勉強が好きじゃないし、いきなり就職っていうのもピンとこなかったんだからしょうがない。

「ピンとこないのはあたしもおんなじだよ。だからそれを考える時間として、大学はあるんじゃないの」

うん、それはわかる。うちのお母さんが私に進学してほしいって言ったのも、多分同じ理由だ。でもね、大学ってお金かかるんだよ？　私はのほほんと育ったけど、お父さんが毎日会社に行くところやお母さんがパートで働いてるところを見てきてる。そう考えたら、せめてバイトでもしながら「ピンとくる何か」を探した方がいいと思ったんだ。

お風呂上がり、私はなるたけ鏡を見ないようにしてパジャマを着る。きっと、テレビではもっとひどいんだろうな。だって太って見えるっていうし。

そう。はっきり言って私は太ってる。サイズLがぱつんぱつんのデブ。でも自分の体型と望まれるキャラクターを自覚してるから、いじめられたことはない。その上顔はお人好しっぽいし、非常識なほどのデブでもないから、買い物でハブにされることもなくてすんでる。

つまり、こんな体型にしてはまあまあな青春。でも。

したいことが特にない。なりたい自分はもっとない。強いて言えばダイエット。でも、痩《や》せたらすべてが変わるなんて夢物語にはまれるほど無邪気じゃない。

私、梅本杏子《うめもときょうこ》。十八歳。身長百五十センチ。体重五十七キログラム。小学校の頃のあだ名は「コロちゃん」。才能も彼氏も身長もないくせに、贅肉《ぜいにく》だけは売るほどある。

……買う？

＊

まず良くなかったのは、ここのところ就職に関しては軽い売り手市場だったことだ。特に接客業なんかは慢性的な人手不足に陥っていて、若くてすぐに働けるってだけでアルバイトでもそれなりのお金が貰えた。

「氷河期の俺たちからすると、まるで夢みたいな話だな」

兄が卒業したとき、ニュースでは就職浪人が話題になっていた。だからよっぽど優秀な人以外は、自分が望む会社になんて入ることができなかったらしい。

「一年待っても入れてもらえるなら御《おん》の字、内定なんてもらえたら超ラッキーだったのにな」

「そうなんだ」

私が気のない返事をすると、兄はため息をつきながらおせんべいを割る。ぱきん。

「なのにたった数年でこりゃないよな。だってお前、今だったら贅沢言わなきゃ適当な会社に就職できるだろ」

「……まあねー」

ほら、と差し出されたおせんべいをひとかじりして私はうなずく。きっとこれって、贅沢な悩みなんだろうな。

住むところにも困らず、食べるものにも困らない。仕事は選ばなければそれなりにあって、正社員にだってなれる。しかも私の場合、奥の手とも言うべき道だってあるのだ。それは、商店街での就職。

私の家は、東京にある。けれどガイドブックに載るような名所なんて近所にはなく、普通の人が長々住んでるってだけの古い町だ。ただそれでもいいところはあって、それが商店街の充実。最近はどこでも後継者不足らしく、シャッターを降ろした店が並ぶ「シャッター商店街」なんて言葉も耳にするけど、うちの近所は皆元気に営業している。

けれど中にはやはり高齢化に悩まされている店もあって、そういう店では跡継ぎになってくれそうな若者を随時募集している。特に近所で生まれ育った私のような人材は理想的らしく、買い物途中に何度か「就職が決まらなかったらおじさんとこにくればいい」なんて声をかけられたりもした。

「そういう意味ではホント、新井《あらい》さんとこは良かったわよねえ」

お母さんは羊羹《ようかん》を切り分けながらしみじみと言う。なんでも、パートで通っているクリーニング屋さんの息子が跡継ぎになることを決めたらしい。

「だってこれが売り手市場の年だったら、こうはならなかったかもしれないじゃない？」

切り落とした羊羹の端を口に放り込みながら、むぐむぐと喋《しゃべ》る。確かに、すぐ就職できる上にお給料が高かったら、あえて家業を継がなくてもやっていけたのかも。息子さんにとっては迷惑な話だったのかもしれないけど、私にしてみればちょっとうらやましくもある。

だってきっと、「あなたしかいない。あなたにやってもらわないと」なんて言われたら悩まずに済んだだろうから。

ただ、私はこの商店街で就職するのだけはちょっとごめんだった。小さい頃から知っている人の中で働くのは嫌じゃないけど、一つ問題がある。

ついこの間も、私がケーキを買おうと『洋菓子かとれあ』に入ろうとしたところ、誰かに呼び止められた。

「あら、梅本さんとこの杏子ちゃんじゃない。今日はおつかい？」

振り返ると、そこには八百屋のおばさんが立っていた。

「ええ、まあ、そんなとこです」

本当は自分へのご褒美を買いにきたのだが、私はなんとなく嫌な予感がして口ごもる。するとと案の定、おばさんはこう言い放った。

「いっくらかとれあさんのケーキが美味《おい》しくっても、食べすぎちゃダメよう。これ以上太ったら、お嫁にいけなくなっちゃうからねえ」

超絶大きなお世話。ていうかあんたんとこの息子こそ、三十歳過ぎて恋人の一人もいないって噂になってますけど？　しかも週一でアキバ通いってマジやばい部類だし。そんな心の声が浮かんだけど、私はにっこり笑って頭をかく。

「えへへ。ホントですよねえ。でも大丈夫！　これはみんなで食べる分ですから」

何を言われても、とりあえずは笑顔でスルー。それが商店街に生まれ育った若者の習性だ。きっと例のクリーニング屋さんの跡取りだって、同じような笑顔を浮かべているに違いない。

「そう。梅本さんとこはいつも家族が仲良しでいいわねえ。それにひきかえうちの息子ときたら――」

おばさんがぶつぶつと言いはじめたところで、それじゃまた、と今度は会釈でスルー。

ああもう、これだから嫌。小さい頃から知ってるってだけで、遠慮なんてまったくなし。年頃の女の子相手に「杏子ちゃんは太ってる」ネタを当たり前のように使う人々。ついでに年頃になったらなったで、軽いセクハラ発言の嵐。ていうか高校出たばっかりで嫁になんかいかないっつーの！

私は羊羹に手をのばして、大きめのやつをばくりと頰張《ほおば》る。ああもう。結局いつもこうやって食べちゃうんだから。

それもこれも、うちのお母さんがいけない。食べることが大好きで、いっつもどこかに食べ物を隠し持ってる。しかも人に食べさせるのも大好きで、なにかっていうと一口羊羹を握らせたりする。そんな人が切り盛りする家庭に育った兄と私は、当然のごとく横幅から成長してしまった。

ちなみにお父さんは何を食べても太らないらしく、私たちと同じ量を食べていても中肉中背という奇跡の体質。ちょっとずるいと思ってしまうのは、私だけではないはずだ。

でもまあ、なんのかんの言いつつ私は家族のことが嫌いじゃない。だから勉強する気もないのに進学して無駄なお金を使わせたくはないし、きちんと仕事を決めたいとは思ってる。ただ、どうしたいのかがこれっぽっちも決まっていないだけだ。

絶望するほどひどくないけど、希望を持つほど良くもない。ものすごく中途半端な中で、ただぼんやりしていることしかできない。

ていうか、これっていわゆるあれじゃない？

甘やかされた子供。直訳すると「最低」ってやつ。

＊

三月は卒業の名残を抱えたまま、なんとなく過ぎた。四月は就職情報やアルバイトの折り込みを検討して前向きな気持ちになっているうちに、あっという間に過ぎていった。そして五月。さすがにやばい気がして、気ばかり焦っている。

（だって、このままじゃただのニートになっちゃうよ！）

平日に近所をうろうろしていると、燃料屋のおじさんあたりにまた勧誘されそうなので
とりあえず都心に近い場所に出てみた。駅前にデパートやショッピングビルの林立する、大きな街。「スタッフ募集」の張り紙があちこちにあるけど、自分がやれるかとなると範囲は狭まってくる。

手に職がないなら販売系がオーソドックスだけど、この体型で服飾は無理。ていうかそ

もそもファッションに興味がないし。同じ理由でお洒落《しゃれ》な雑貨やジュエリー系もバツ。本屋さんも考えたけれど、なぜかファストフードよりもバイト代が安かったのでバツ。

（となると、やっぱ飲食系……？）

でもこの体型でラブリーな制服はまずい。かといって定食屋とか居酒屋もなんだかなあ。

（いっそ料亭みたいなところで仲居さんになるとか）

住み込みのバイトとしてなら、それもいいかもしれない。礼儀作法とか着物の着付けとか身に付きそうだし。でも実家から出ていきなり温泉旅館暮らしっていうのも、ハードル高いかな。消去法で考えちゃいけないとは思いつつも、私ができることなんて何にもないような気になってくる。

ふと、頭頂部にぽつりとした感触。気持ちが落ち込んできたところに、雨まで降ってきた。傘を持ってきていなかったので、私はとりあえず一番近くにあるデパートの中に駆け込む。

自動ドアをくぐった途端、ふわりと香水の匂い。デパートの一階は、大抵化粧品と婦人靴やバッグ売り場だ。ブランドものの化粧品コーナーには、きっちりメイクをした綺麗なお姉さんが、マネキンのように立って硬質な笑顔を振りまいている。そして靴やバッグ売り場に並ぶのは、私のお小遣いでは到底買えない値段のものばかり。

「このバッグってパーティーにも使えるかしら」

声がした方向を見ると、きらきらでぴかぴかの小さなバッグを持ち上げて、お姉さんが店員さんにたずねている。棚に置いてある値札を見ると、携帯電話一つでぱんぱんになってしまいそうなバッグが、なんと十万円。世間の人は皆、こういう物を日常的に買っているんだろうか。少なくとも私の周りでは、十万円といったらかなりの大金扱いなのだけど。

（ていうか、そもそも「パーティー」っていつどこでやってるものなの？）

素朴な疑問に首をかしげながら、私は一階を横切ってなんとなくエスカレーターに乗って地下へと向かう。すると半分も降りないうちに、どこからかパンの焼ける香りが漂ってきた。一歩踏み出すと、パンの他にも色々な食べ物の匂いがごっちゃになって押し寄せてくる。

「はいこれからタイムセール！　焼豚《チャーシュー》一本がなんと千円！　いかがですかー！」

白衣を着てワゴンの前で声を上げるおじさん。その隣のブースでは、華麗な手つきでお寿司を握る板前さんがいる。そこに列を作ったおばさんたちは、楽しそうにきゃあきゃあと穴子の一本握りなんかを指差して笑っていた。

（なんか、ほっとするなあ）

一階のつんとすました雰囲気はどこへやら。食品フロアでは値段だってピンからキリまで様々だ。その証拠にほら、私の目の前で湯気を上げているおまんじゅうなんて一個たったの十円。

「あのこれ、五個下さい」

ものすごく自然に私はお財布を開き、あっという間にほのあたたかい紙袋を手にしていた。小さくて可愛いおまんじゅうを、歩きながらひょいと口に放り込む。うん。黒糖があったまった香りって、なんでこんなに優しい感じがするんだろう。

ざわざわとしたデパ地下の喧噪《けんそう》は、ちょっとだけ近所の商店街に似てて居心地がいい。老若男女、年齢も性別もばらばらの人たちが夕方になると集まってくる、あのごちゃまぜな感じ。私は雨が止《や》むまで時間をつぶそうと、ぶらぶら歩き回る。

「ガレットブルトン、本日までの販売でーす」

次に引っかかったのは、洋菓子売り場。期間限定の出店《しゅってん》だというお菓子屋さんの分厚いクッキーは、一個二百円。普段なら買わない値段だけど、たまにはいいかと思って買ってみた。しかし壁際のベンチに腰かけてひとかじりすると、軽いがっかりが私を襲う。

(植物性？　それともマーガリンかショートニング？)

こういうシンプルな焼き菓子に、私はバター以外の油脂を認めない。おいしさとカロリー、ついでにおいしさと日持ちを天秤《てんびん》にかけるのは間違っていると思うからだ。それにバターの香料なんておかしなものが入ってた日には、心底悲しくなる。ついでに言うと、どうせ使うなら無塩バターよりきっちりとした味のある有塩バターが望ましい。

（フランス人に失礼って感じ）

それでも捨てるには忍びないので、食べきってしまうのが悲しい性《さが》。せめて食べたカロリー分くらいは歩こうと再び腰を上げる。すると目に入ってきたのは、求人の張り紙。こういうのってデパート全体で募集するものだと思ってたけど、実はそうじゃないみたい。注意して見ると、ショーケースの端や背後の壁にもちょこちょこと貼ってある。

（ここの雰囲気なら、大丈夫かも）

何の特技もない私が唯一得意と言えるのは、食べること。それに私のこの体型は、食べ物を売る立場になったとき、多分プラスに働くんじゃないだろうか。

もし働くならどのお店がいいかな。私は職場の下見を兼ねて、募集の出ているお店を覗《のぞ》き込んだ。

まずケーキ屋さん。これは募集の出ていたお店に限ってバツ。なぜなら、制服がフリフリでとても着こなせそうになかったから。次にお茶屋さん。悪くはないけど、すごく暇そう。でも暇なせいか一人の拘束時間が結構長い。それからお惣菜コーナー。ここは二種類あって、お洒落っぽいデリは感じがいいけど、とにかくものすごく忙しそう。さらにその隣の韓国家庭料理は、やっているのが明らかに韓国の人。

（外国の人、かあ）

きっと日本語が上手なんだろうけど、うまく接する自信がない。悩みながら歩いていると、最後に和菓子コーナーでも二つ募集を見つけた。両方とも基本的な品揃《しなぞろ》えが整っている和菓子屋で、贈答系の日持ちがするものから、生菓子《なま》まである。制服は片方が作務衣《さむえ》みたいな上下で、片方が白いシャツに黒エプロンという現代風。

（条件にはそんなに差がない。どうする？）

なんとなくこの二つのどちらかに決めたい、と思った私はさらにお店を観察した。するとなんてことだろう！　作務衣のお店には男性が二人もいる。

ごめん。言い忘れてたけど、私は男性がちょっと苦手だ。

＊

太っている。たとえそれが健康を害するような状態ではなくとも、そのことが恋愛において与える影響は計り知れない。というより、男性の態度が違いすぎる。

ちょっと自己弁護になるけど、私は一応普通のブティックで買い物ができる。つまり、

「Lサイズショップ」に行かなければならないほどのデブではないということ。そしてコロコロぽっちゃりの体型にお人好し面というのは、人間関係においては好印象をキープできる。だから同じ男性とはいえ、子供とお年寄りにはとってもモテる。けれど。

ある種の若い男とある種のおじさんは、標準以下の容姿を持つ女性に対して、態度が露骨に冷たい。無意味に無愛想だったり不親切だったり、それは時と場所を選ばない。もちろん、世の中にはそうじゃない男性だって多いことは知っている。けれど外見から内面が判断できない以上、私にとって子供とお年寄り以外の男性は、要注意人物なのだ。

（しかも意地悪な人に限って、自分自身の容姿は棚上げなのがムカつく。だってずるいよね？　私は確かにデブだけど、あんただってハンサムとは十億光年くらい離れてるよ、って言ってやりたい）


というわけで、私はもはや悩むことなく黒エプロンのお店の方へ行き、店員さんに声をかけた。

「あのう、すいません。アルバイト募集を見てきたんですけど」

「あっ、そうですか。ちょっとお待ち下さいね。店長を呼んできますから」

同じ年くらいだろうか。ミディアムヘアで可愛い感じの女の子は、ぱたぱたと店の奥へ消えた。そしてしばらくしてから、店長さんらしき人物が姿を現す。

「あなたがアルバイト希望の方？」

黒エプロンに黒パンツというシックな制服に身を包んだ女性は、ぱっと見ではいくつなのかわからない。お姉さんと呼ぶには落ち着いた雰囲気だし、かといっておばさんなんてもってのほか。ふわりとサイドを流したさわやかなショートヘアがよく似合う、大人の女性だ。

「あ、はい。今日はたまたまここを通りかかったので、履歴書とか持ってきてないんですけど」

緊張しながら答えると、女性はにっこりと笑う。

「和菓子がお好きなのかしら」

「はい。食べるのは大好きです。けど、知識はありません」

「そう。でもうちを気に入ってくれて嬉しいわ。良かったらまた明日、履歴書を持ってお昼過ぎに来てもらえるかしら？　デパート側の決まりで、一応面接をしなきゃいけないことになってるから」

そう言って女性はカウンターに置いてあったショップカードと、一つ百円の小さな薯蕷《じょうよ》まんじゅうを手渡してくれた。うん。こんな人の下でなら気持ち良く働くことができそうだ。私は手の中の和紙を見つめて、小さくうなずく。

再びエスカレーターに乗り外に出てみると、雨はすっかり上がっていた。雲一つない青空を見上げ、私は貰ったばかりのおまんじゅうをぱくりと頰張った。

うん、おいしい。これなら大丈夫だ。

＊

翌日の面接は本当に型通りのもので、店のバックヤードで履歴書を見せたあと簡単なやりとりをしたら、すぐに店長は「はい、それじゃあ採用ね」とにっこり笑った。

「えっと、いいんですか？」

思わずたずねると、逆に首をかしげられる。

「だって履歴書に何ら問題はないし、愛想も良さそうだし、それに何より爪が短くて清潔だもの。断る理由がないでしょう？」

私ははっとして、自分の指を見つめる。ウインナーみたいで爪なんか伸ばす気にもなれなかった指。マニキュアなんか似合わないからと、ただ磨くだけにしておいた爪。

（それを評価してもらえるなんて……）

心のどこかがきゅんとする。知らず、私は胸の前で両手を祈るように組み合わせていた。

「というわけで、私は椿《つばき》はるか。ここ『和菓子舗・みつ屋』東京百貨店の店長です。これからよろしくね」

「は、はい。こちらこそよろしくお願いします！」

立ち上がって勢い良く頭を下げると、椿店長もすっと腰を上げる。

「じゃ、フロア長のところに行きましょうか」

「フロア長？」

「そう。私はみつ屋の社員だから、あなたの採用を決定することができます。けれどここがデパートである以上、働くにはデパートの社員さんの許可もまた必要なのよ」

だからその顔見せに行かなきゃね。すたすたと歩き出した椿店長の後を追って、私はフロアの隅にある扉の中に入った。ちょうど階段の真下に当たるであろうそこは、斜めの天井も息苦しい三角形の小さな部屋だった。

「フロア長、みつ屋の椿です」

椿店長が声をかけると部屋の一番奥、角度が一番狭まったあたりでパソコンを叩《たた》いていた人物が椅子を回して振り返る。こっちをじろりとねめつけたのは、一重《ひとえ》の上に不機嫌そうな表情のおじさん。

「ああ、昨日話してた新人か。採用決定？」

「はい」

その返事を聞くとフロア長は机の引き出しを開け、がちゃがちゃかき回した末に何かを拾い上げた。

「ほれ」

私に向かって伸ばされた手。おそるおそる近づいて受け取ると、それは店員さんが制服につけている名札だった。

「この名札は東京百貨店で働く人の証明書みたいなものだから、なくさないように」

「あ、ありがとうございます」

これをもらえたということは、合格と受け取っていいんだろうか。私が頭を下げると、フロア長はあっという間にパソコンに向き直ってしまった。そしてなぜか、背を向けたままで話を続ける。

「ところで椿さん」

「はい」

「新作はどうなってるの」

顔を一切合わさないで会話してるなんて、まるで喧嘩した後みたい。でも、二人はごく普通のトーンで喋っている。てことはこれが普通?

「あと一週間くらいで来ますよ。月がわりですから」

「そう。楽しみにしてるよ」

「ありがとうございます。次は自信作ですからね」

「椿さんとこって自信作しかないわけ」

フロア長の軽い皮肉と思われる言葉に、椿店長はしかし軽く微笑《ほほえ》みながら答えた。

「いつも最高においしくて綺麗なものを作ろう、って職人さんたちが頑張ってるんです。自信があって当たり前じゃないですか」

それじゃ失礼します。椿店長はフロア長の背中に向かって軽く頭を下げると、私をうながして部屋を後にした。

その後、店に戻った私は先輩アルバイトの桜井《さくらい》さんを紹介してもらい、細々《こまごま》としたことを教わった。

「先輩っていっても同い年だし、バイトはじめたのだってほんのひと月前だから、わからないことも多いんだけどね」

大学生だという彼女は、それでも手際良く関係者用の出入り口やロッカールーム、それにお手洗いの場所なんかを教えてくれた。

「制服はシャツとエプロンだけが貸与《たいよ》で、下はきちんとした感じのする黒であればスカートでもパンツでも自由なの。あ、でも超ミニとか作業に影響するほど裾《すそ》の長いロングなんかは駄目ね」

バックヤードに入り、『制服』と書かれた段ボールの中から二人でLサイズのシャツを探す。みつ屋は壁に面した大きめの店舗なので、狭いながらも専用のスペースがあるのだ。

「あと、足下は自然な色のストッキングか、パンツであれば何でもよし。靴も黒でローヒールのパンプスかローファーみたいのならいいみたい」

要するに、店員らしく小綺麗であればいいらしい。私は頭の中で自分のワードローブをチェックする。靴は黒のローファーがあるからそれでいいとして、下はどうしよう。黒いパンツは持ってないし、スカートは喪服のセットしかない。

(でもまあ、下も制服でサイズがないとか言われるよりマシか)

だったら帰りに買って帰ろう。ようやく掘り出したシャツに二人で歓声を上げながら、私はお財布の中身に祈りを捧げる。どうか、どうか安い服がありますように。

＊

結果的に、スカートは二枚で千円という激安品が見つかった。しかもちゃんとLサイズで、膝までの丈もある。

「近所は侮《あなど》れないなあ」

私はおばちゃん御用達《ごようたし》ブティックの店内を見渡してしみじみとつぶやいた。

というのも、最初に寄った若者向けのファッションビルでは、「黒いスカート」はそのどれもが「サイズなし、余計な飾りつきすぎ、ゴスロリ」という三重苦を背負っていたし、次に向かった別のデパートでは、「シンプルだからこそ極上」という値段のよそゆきスカートしかなかったのだ。

もうこうなったら、となりふり構わない気分で訪れたのがここ『モードブティック・ラ・メール』。普段だったら絶対に足を踏み入れないような店だけど、おばちゃん系の店ならシンプルなスカートがあるかと思ったのだ。

(別の意味で飾りが多い服はあるけどね)

虎の刺繡入りセーターやヒョウ柄のスパッツ、それに葉っぱとてんとう虫柄のトレーナーを見て、私は力ない笑みを浮かべる。

＊

初出勤日は、とにかく商品の名前と値段を覚えるので精一杯だった。みつ屋は乾きもののおせんべいや落雁《らくがん》にはじまり、日持ちのする羊羹に最中《もなか》、どら焼きや大福といった普段使いのお菓子、そして季節の上生菓子と案外アイテム数が多く、私は商品カタログを家に持って帰って必死で暗記した。

二日目、桜井さんは講義があるからと早上がり。私と店長だけの時間は初めてなので、緊張する。一応胸の名札に「研修中」とは書いてあるものの、お客さんにはそんなの見えていないらしい。

「ちょっと、こっちお願い」

急に呼び止められると、どきっとする。私はまだレジを任されてはいないし、かといって完璧な説明ができるわけでもない。

「はい、いらっしゃいませ。今日はいかがいたしましょう」

まずは噛《か》まずに言えたことにほっとする。和菓子屋さんは年配のお客様も多いから、言葉遣いはできるだけ丁寧にと注意を受けていたのだ。そしてなんでもこなすように見える桜井さんも、敬語だけは苦手らしく自分専用の小さなメモをエプロンのポケットに入れていた。

「だってたまに目で確認しておかないと、いかがすか、とか言っちゃうのよ」

そのときは人ごとだと思って笑っていたけど、いざ自分が喋るとなると、なるほどテンパってしまう。

「季節のお菓子は何がおすすめかしら」

上生菓子の説明だ。お茶の席とかで使うような、形や色が綺麗なお菓子。これは和菓子屋にとって花形商品だけど、自分にとっては一番馴染《なじ》みのないジャンルなだけに覚えにくかった。しかも私はまだ、上生菓子を自分で包んだ経験がない。

「まず、端午《たんご》の節句ということで『兜《かぶと》』というお菓子がございます」

それから、それから何だっけ？　私は頭の中を必死で検索する。たずねようにも椿店長は接客中だし、その上今に限ってアンチョコの紙を持っていない。

(えーと、確か季節ものは三種類。今は五月で、確か一つは五月の花……)

「あ、それからこちらが『薔薇《ばら》』です」

よし、あと一つ！　なのに最後の一個が出てこない。確か葉っぱみたいな形だったはずだけど、名前がどうしても思い出せない。

（最悪、ショーケースを上から覗き込めばわかるんだけど……）

でも、私の背丈でそれをやるとなると、かなり見苦しい状態になるはず。私が口ごもると、お客さんが先をうながすように「それから？」とたずねてくる。

「それからですね……」

喋りながら、カウンターの上にさりげなく両手を置く。そしてお客さんの方を向いたまま踵《かかと》を上げようとした、そのとき。

「それから、五月最後のお勧めは『おとし文《ぶみ》』です」

突然、私の右側から声がした。

「えっ？」

「『おとし文』の形ですが、ご覧いただければお判りいただけるように巻いた葉とそれにとまる露を模しております」

突然現れたのは、私と同じ制服を着た男性。ごく自然な口調で喋りながら、私とお客さんのそばに寄ってきた。

「そしてこれは、こういった形に葉を落とす虫の仕業《しわざ》を見た人が、まるで紙を巻いて落としてある文のようだと感じたことから名づけられたお菓子です」

すらすらとよどみなく話す男性は、どう見ても二十代。

(なんで、なんでここに若い男が？)

混乱する私を尻目に、男性とお客さんはなごやかに談笑している。

「文っていうのは、ちょっと素敵ね。お味は？」

「上品なお味の練《ね》り切《き》りですから、さらりと溶けてさわやかな後味ですよ」

「そう。じゃあこれ、十個包んでちょうだい」

男性はお客さんにうなずくと、ふと思い出したように私の方へ向き直った。

「君、お会計はしたことある？」

「え？　いえ、まだですけど……」

「そう。じゃあ5番の箱を使うから、包装紙と紙袋を用意しておいて」

「あ、はい」

言われるがままに用意をはじめると、男性はショーケースの中の引き板をすらりと引き寄せ、上生菓子のケースを丁寧にお盆の上に載せていった。危ない。私だったら、きっと直接紙箱に入れていたことだろう。

「こちら十個でよろしいでしょうか」

男性はお客さんの前にお盆を置き、確認を取ったあと箱に詰めていく。上生菓子を扱う手つきはこれ以上ないってほど丁寧で、包装も上手だ。

「ありがとうございました。またお待ちしております」

流れるような接客にきちんとした知識。もしかしてこの人は、みつ屋の社員なのだろうか。

(にしても、男がいるなんて聞いてないし！)

深いお辞儀でお客さんを見送ってから、男性が顔を上げる。整った眉に、さりげなく遊ばせてある髪。

(しかも何、その細さ!!)

カウンターに立ったとき、壁とショーケースの間にもう一人分のスペースが空くのは桜井さんや椿店長と同じ。その証拠に、エプロンの紐《ひも》が彼女たちと同じくらい余っている。なのに身長はもっと高いなんて。

(……女子の立つ瀬なし、って感じ)

表参道のオープンカフェでギャルソンでもしていそうな容姿に、私は激しく気後《きおく》れした。正直言って、かなり苦手。お洒落でスタイルがいい若い男性となんか、一生口をきくことなんかないと思ってたし。

「あの、ありがとうございました」

恐る恐る声をかけると、男性がこっちを見る。

「君、新しい人？」

「はい。一昨日《おととい》から入りました、梅本杏子です。よろしくお願いします」

とりあえず失礼のないように。そう思って頭を下げると、男性は私の方を見てから一瞬顔を歪《ゆが》めた。はいはい。どうせ期待はずれですよ。残念でした。

「立花《たちばな》です」

そうですか。私は次の言葉を待って口をつぐんでいたが、なぜか沈黙が流れる。

（それだけかいっ⁉）

下の名前とか、社員かバイトなのか、でなきゃせめてよろしくとか、そういうの何にもなしってどういうこと？　ものすごく無口って思うには接客が上手すぎたし、同じ理由で人見知りも却下。でもって導きだされる答えは、二つに一つ。一、お菓子の名前も覚えていない新米に苛《いら》ついた。二、こういう容姿の女に名前以上のことを説明する気はない。

（でも、だからってどうしろと……？）

もし一だった場合、また話しかけたら余計に怒らせてしまいそうだし、二でも結果は同じだろう。正面を見つめたまま微動だにしない立花さんの隣で、私もまた軽くフリーズした。

そんな中、接客を終えた椿店長が戻ってくる。

「あら、立花くん」

助かった！　椿店長なら、この膠着《こうちゃく》状態をなんとかしてくれるだろう。

「店長、休みの間はご迷惑をおかけしました」

「ああ、そんなの気にしなくていいから。ところでこちら新しいアルバイトの梅本杏子さん。もしかしてもう挨拶《あいさつ》とか、した？」

「ええ、まあ」

いやいやいや！　してないに等しいですって！　私が心の中で叫んでいると、さらに立花さんは椿店長にまで失礼な発言をする。

「それより店長こそどうなんです。見たところ、まだ全部教えてないみたいですけど」

なにそれ。私がお菓子の名前を覚えてなかったのは、椿店長の教育不足とでも言いたいわけ。けれど椿店長はそんな皮肉など聞こえてない風に、カウンターの端にある生け花に手を伸ばした。

「梅本さんは期待の新人なんだから、ゆっくりわかってもらえればそれでいいのよ。それより立花くんこそ、ちゃんと教えてあげるのよ。じゃないと……」

じゃないと、何だろう。何かペナルティでもあるんだろうか。

「前みたいなことになるわよ」

しおれかけた花を引き抜き、ゴミ箱に捨てる。おお、なんか迫力。これが店長の凄《すご》みってやつなのかな。ぐっと言葉に詰まった立花さんは、悔《くや》し紛《まぎ》れなのかさりげなく顔をそむけた。

二人の間で固まっていた私に、椿店長が補足の説明をしてくれる。

「梅本さん、繰り返しになるかもしれないけど、彼は立花早太郎《そうたろう》くん。みつ屋の社員で、職人さん希望だから和菓子のことにはとっても詳しいの。わからないことがあったらどんどん聞いてね」

ほうほう。職人気質《かたぎ》だから気難しいんだろうか。

「とはいえ彼は接客も上手でね、彼のお勧めでしか買わないってお客様もいらっしゃるくらいなのよ」

「そうなんですかあ」

いかん。どうしても声が無表情になってしまう。

「とにかく、仲良くやってね。これから午前中はこの三人で回していく予定だから」

マジで!?　しかもこんな態度の人と？　ああ、せめて履歴書を出す前にこのことを知っておきたかった。

「はあ……」

「桜井さんはこれから大学が忙しくなるから、遅番を希望してたの。そしたら梅本さんが来てくれたでしょ。だからこの先は、梅本さんが早番、桜井さんが遅番って感じでいこうと思ってるの」

なるほど、そういうことか。いや、私だって人数が少ないとは薄々感じていたのだ。だってデパ地下の営業時間は午前十時から午後八時。通しで働くのは無茶だし、となると店長の他に早番と遅番、それにもう一人正社員がいないと店長が休めない。つまり、最低四人は店員が必要なのだ。

(でもそれが男、それもこんな意地悪そうな人だなんて！)

聞いてないよー、とどこかのコメディアンが頭の中で叫ぶ。

＊

仲の悪い店長と社員。そしてその間に呆然《ぼうぜん》と挟まれてしまった新米アルバイト。もうどうしろって感じの微妙な空気の中、それでもお客さんはやって来る。

「あの、すいません」

見ると、ＯＬさんっぽい女性が椿店長に向かって話しかけていた。

「はい、いらっしゃいませ。本日は何がご入り用ですか？」

「上生菓子をいただきたいんですけど」

ケースの中と手持ちの封筒を見つめながら、女性は指を折る。

「えーと、十個ほど」

「統一した方がよろしいですか？　それとも何種類か入れた方が？」

「そうですね、一種類じゃ寂しいかも」

ということは季節のものを三種類か。私は箱を取り出して次の展開を待った。しかし椿店長は、意外な言葉を口にする。

「あ、でも『兜』と『おとし文』はいいとしても、『薔薇』はやめておきましょうか？」

ん？　私は思わず首をかしげた。それは女性も同じだったようで、びっくりしたように片手を口に当てている。

「本当！　でもどうして、そう思ったんですか？」

椿店長は上生菓子をそれぞれ五個ずつお盆に載せ、ショーケースの上に出した。

「おそらく、召し上がる方がある程度お年を召した男性ではないかと思ったからです」

「……その通りです」

あなたは魔法使いですか。そんな表情で私と女性は椿店長を見つめる。しかし立花さんはそんな出来事には関心がないらしく、送られてきたファックスなどを黙々と整理している。

「当てずっぽうですよ。だってお客様はバッグも何も持たずに封筒だけ持ってらっしゃるから、近くの会社にお勤めの方なんじゃないかしらと思っただけで」

いや。それで何故《なにゆえ》男性？　しかもおじさんだとわかる？　私と同じように首をかしげた女性に、椿店長は微笑みかける。

「今は二時。ランチに出た方が帰りに立ち寄る時間ではないし、ということはおつかいを頼まれたということ。しかも洋菓子ではなく和菓子を指定されているとなると、あっさりとしたものを好む年齢の方のイメージが浮かんできました」

「すごい。本当にそうなんですよ」

「だったら『薔薇』は可愛すぎるでしょう？」

椿店長、すごい。女性もすっかり感動してしまったようで、封筒を握りしめて激しくうなずいている。

「私、これからこちらを使わせていただくことに決めました！」

「そんな、無理なさらないで下さいね。ときによって洋菓子が召し上がりたくなるときもあるでしょうし」

流れるような手つきで箱に紐をかけ、レジを打つと領収証を取り出す。女性はそれを見て思い出したのか、慌てて封筒から名刺を取り出してショーケースの上に置いた。

「あの、私の直属の上司が茶道を嗜《たしな》む人なんです。だからほとんど洋菓子は頼まれないと思います」

「そうなんですか」

名刺と領収証を重ねて、女性に差し出す。

「あと五日ほどしたら新しい季節のお菓子が入りますから、またいらしていただけると嬉しいですね」

あ、そうそう。こちらが季節のお菓子の予定表です。そう言いながら椿店長は、小さな紙を袋に滑り込ませた。

「もちろんです！　お菓子にも一家言《いっかげん》ある人だから、きっと喜びます。だって君はこんな感じ、なんて言いながら撫子《なでしこ》のお菓子をデスクに置いていったりするんですから」

えっと、それって結構恥ずかしくない？　それとも年配の人だからお茶目にうつるんだろうか。女性は帰りしな、椿店長に向かって嬉しそうにお辞儀をしていた。

「ありがとうございました！」

私は一緒になって頭を下げ、女性の姿が見えなくなったら椿店長に話を聞こうと思っていた。しかし、間《ま》の悪いことに次のお客さんが来てしまった。しようがないので接客を見ていると、包材のチェックに来た立花さんがぼそりとつぶやく。

「店長にとってはあんなの、いつものことだから」

だから浮かれるな。そう言いたいのだろう。

「あ……そうなんですか」

「それに君はまだ、バックヤードでの店長を見ていないだろう」

バックヤード？　意味がわからず私は立花さんを見返した。無表情な顔。さっきお客さんに見せてた笑顔は売り物かっつーの。

「何ですか、それ」

「時間の問題だろうけど、あの人にはあんまり期待しないことだね」

重ね重ね失礼な奴。私は無言でうなずき、ショーケースの上にある個包装のお菓子を整えるふりをして、彼から離れた。

*

三時に三十分休憩をもらったので私は従業員用の通路に入り、『休憩室』と書かれた部屋に向かう。ここはテナントで働く従業員共通の休憩室で、だから私たちも自由に使っていい場所なのだと桜井さんに教えられた。しかし、ドアを開けた瞬間私は再び凍りついた。

（……煙草くさっ!!）

一瞬、視界が霧に閉ざされているのかと錯覚するほどの煙が室内には満ちている。そしてその煙の中から、こちらをじろりと見る女たちの顔、顔、顔。化粧の濃い顔、疲れたような目の顔、好奇心丸出しの顔。私はその視線に耐えきれず、開けたドアをそのまま閉めてしまった。

（あんな中にいたら、薫製《くんせい》になっちゃいそう）

要するに、『休憩室』というのは体《てい》のいい喫煙所なのだろう。にしてもあんな風になるまで吸うって、一体どれほどのストレスを抱えてるんだか。廊下の途中にある自動販売機でジュースを買ってから、私はみつ屋のバックヤードに向かう。そういえば昨日、桜井さんもここで休んでいたっけ。

しかしバックヤードのドアに手をかけた瞬間、中から異様な声が聞こえてきて私はぴたりと動きを止めた。

「来い！　来いったら来い！　おらあっ!!」

……私、何か悪いことしたかな。だって普通に働いてるだけなのに、なんでこんな強烈な場面にばっかり遭遇するわけ。缶ジュースを持ったままドアの前で立ちすくんでいると、不意に横から肩を叩かれた。

「立花さん」

店の横から半身《はんみ》を出した彼は、そのままドア近くの壁を軽く叩きながら声をかける。

「店長。梅本さんが休憩に入りますから静かにして下さい」

「てん、ちょう……？」

「あらごめんなさい。聞こえてた？」

そう言ってドアを開けたのは、まさに椿店長その人だった。

「どうぞ入って。もう、うるさくしないから」

さっき聞こえてきた叫び声が嘘のような、さわやかで優しそうな微笑み。私がおどおどとバックヤードに足を踏み入れると、椿店長は壁際にあった折り畳み椅子を広げ、私のために場所を作ってくれた。

「ありがとう、ございます」

狭い室内には包材や日持ちのするお菓子のストックを並べるため、金属製のラックが両側にそそり立っている。そして椿店長はその一番奥にノートタイプのパソコンを置き、その前に座っていた。

「……聞こえちゃったのね？」

丸椅子に腰を降ろした椿店長は、いたずらをみつかってしまった子供のような表情で私を見る。

「あの、何かあったんですか？」

理由がわかれば、納得できるかもしれない。私は一縷《いちる》の望みにすがってたずねてみる。

なのに椿店長は、満面の笑みでこう言った。

「株よ」

「え？」

それって木を切った後に残る、あれじゃないですよね。冗談が口をついて出そうになったが、無理して呑《の》み込む。

「今、趣味で投資にはまっててね。ちょうどさっき市場が動いたから、興奮しちゃって、つい」

ついい、って！　しかも仕事中に株って！　私は絶句したまま、とりあえずうなずく。

「ごめんなさいね、驚かして」

「いえ……」

「ずっと地下にいると退屈しちゃうから、事務仕事のついでの息抜きっていうか、ね」

そうか。さっき立花さんが言ってた「バックヤードの店長」っていうのはこのことか。

私はそこでふと、フロア長とのやりとりを思い出す。

（なんかふくみがある感じがしたのは、これだったのかな）

聖人君子じゃないんだから、誰だって裏の顔があって当たり前だ。けれど天使と悪魔ほど落差があるのは、かなりヤバい。

（やっぱこれもストレス？）

もしも怒らせたりしたら、一体どうなってしまうんだろう。どんよりと落ち込む私に、椿店長はことさら明るく話しかけてくる。

「でもね、どんな趣味でも絶対いつかどこかでつながる日が来るのよ」

「はあ」

「だから私が騒いでても、気にしないでね」

ものすっごく言い訳っぽいし、適当な感じなんですけど。私は缶ジュースを口に運びながら、視線を合わせないようにして休憩を終えた。

好意的とは言えない立花さんに加え、頼りにしていた椿店長までもが信用できない状態。しかも桜井さんとはこれから、交代のときにしか会えそうにない。私の頭の中に、昔習った四文字熟語がアレンジバージョンで点滅する。

超絶四面楚歌。

(ていうかもう、ホントに辞めたいんですけどー!!)

*

おだやかな職場を目指して街に出たはずが、その内情は商店街よりも強烈だった。それでも一週間持ったのは、合間にお休みが一日あったことと、椿店長の叫び癖が人に向けられることはないと悟ったから。

「ごめんなさいね、二日続けてのお休みは申請制なの」

休み前、そう言ってくれた椿店長はやはりいい人だと思う。ただ、ちょっとばかりストレスの解消方法が変わってるだけで。

その夜、私は遅く帰ってきた兄にふとたずねてみた。

「ねえお兄ちゃん、会社で仕事中にインターネット見ちゃったりする？」

「うーん、まあな。私用の短いメールとか、野球の試合結果とかなら、ちょこちょこっと見るかな」

それがどうした、と聞かれて私は首を振る。

「ううん、なんでもない」

多分、叫び声さえなければ結構普通なことなのだ。私は自分を納得させるように、ひとりうなずく。

辞めるにしても、せめて一ヶ月は我慢しよう。

＊

アルバイトに入ってちょうど一週間目。五月最後の日、それも開店早々にそのお客さんは再び現れた。

「あの、まだ季節のお菓子は替わってませんか？」

急いで駆けてきたのか、息を切らしながら言う。この間、上生菓子をおつかいで買いにきたＯＬさんだ。

「はい。五月一杯ですから、今日はまだ替わってません」

私が答えると、ほっとしたようにショーケースに手をついた。

「じゃあ『おとし文』を一つと『兜』を九個下さい」

ん？　『おとし文』は一つだけ？　私は思わずショーケースの在庫を確認する。うん、別に残り一個というわけじゃない。

「あの、申し訳ないんだけどちょっと急いでくれるかしら」

女性は時計を気にしながら、みつ屋の店先をきょろきょろと見回す。でも間の悪いことに、椿店長はフロア長のところへ出かけてしまっている。

「かしこまりました」

私はできるだけ手早くお菓子をお盆に並べ、確認をしてもらったあと、箱を出そうと振り返った。するとなぜか、カウンターの上にぴったりサイズの箱と包材がセッティングしてある。

「お会計はやっておきますから」

ショーケースの反対側からさっと姿を現した立花さんが、領収証用のペンを片手に電卓を叩く。人としては嫌な奴でも、店員としては完璧だ。

「ありがとうございます」

立花さんに手伝ってもらったおかげで、私は注文の品を慌てることなく綺麗に包むことができた。紐がけがきりりと決まったときって、なんて気分がいいんだろう。

「ありがとうございました。またお待ちしております」

女性は私に目線で会釈をすると、紙袋を下げて足早に去っていった。


ほどなくして戻ってきた椿店長に先刻の一件を報告すると、話がある一点に差しかかったあたりでいきなりその表情が変わった。

「『おとし文』を一つと、『兜』を九個ですって？」

「はい。在庫はショーケースに並んでましたから、お客様にも見えてたはずなんですけど」

「そう、それは変わったセレクトね……」

腕組みをする椿店長。また何か思い当たることでもあるのだろうか。

「もしかしたらこの間召し上がった方から、リクエストがあったのかもしれませんよ」

立花さんが横で塩大福の山を器用に整えながらつぶやく。

「リクエスト、ねえ」

「確かあのお客様の上司は、茶道を嗜まれる方だったと聞きました」

「だったら、注文をつけるのもありですね」

私は言いながら、立花さんの技に驚いた。竹で出来たトングで柔らかいお餅を摑《つか》むのは案外難しく、私は今までに何個か破いてしまっている。なのに彼は、いとも簡単そうにすいすいと盛ってゆく。

「それにしたって、バランスが悪いわね」

「全部『兜』だったら、わかりやすいんですけどね。五月人形だから男性のイメージだし、勝負に勝つような印象があるから験《げん》もいい」

「験かつぎ、ねえ」

それって試験の前にカツ丼、みたいなものだろうか。

「じゃあ商談でもあったんですかねえ？」

目の前の通路を見るとはなしに三人で眺めつつ、話を続ける。時間はまだ十時台だから、デパ地下的には比較的暇な時間帯なのだ。しかも午前中に和菓子を買いにくる人となるとさらに少ないので、余裕がある。

「でもそれだと一個だけの『おとし文』の説明がつかないわ」

「もしかすると、一人だけ女性がいたんじゃないでしょうか」

立花さんはつまらなさそうな顔をしつつも、案外積極的にこの話題に参加してくる。

「でもこの間、年配の男性だっておっしゃってましたよね」

「買われた数も同じ。ということは同じメンバーだと思うんだけど」

「担当者が替わって女性が入ったということは」

しかし果たしてそれは気遣いと言えるだろうか。十人の中、女性だからということで一人だけ違うお菓子を出されたら……。

「私だったら、いじめられてる？　とか思っちゃいますけど」

思わず口をついて出た言葉に、立花さんが反応する。

「いじめられてる？」

鋭い視線。ああもう、だからこういう状態ですってば。体型による被害妄想かもしれませんけどね！　背の高い立花さんに見下ろされて、私はそっと肩をすくめた。

「いじめ、かあ」

そんな私たちのやりとりなどどこ吹く風で、椿店長はぼんやりと壁にかかった時計を見ている。

「あ、忘れてた」

椿店長はふとつぶやくなり、くるりと踵《きびす》を返す。そしてそのままバックヤードに入ってしまった。

「え？　あの……」

何が起こったのかわからず戸惑う私に、立花さんはクールに言い放つ。

「どうせ、株が動きやすい時間にでもなったんでしょう」

＊

結局その後、少ないながらもお客さんが途切れることなく来たため、例のＯＬさんの謎はそのまま翌日まで持ち越しとなった。

（あそこまで話し合って結論が出ないと、なんか気になるなあ）

朝の電車でも同じことを考えながら、私は必死につり革につかまる。ラッシュ時、背の低い人間は圧倒的に不利だ。

八時半、デパート裏の道から従業員専用の入り口をくぐる。守衛さんに名札を見せ、ロッカールームに行って制服に着替えた。そして貴重品やハンカチなどを支給される透明なビニールバッグに入れ、売り場へと向かう。

にしてもこのバッグ、元は店員による万引を防止するために作られたって聞いたけど、なんだか失礼な話だ。

（もうちょっと人を信頼してほしいよね）

しかもこれ、持ってると微妙に恥ずかしいのだ。透けてるから当たり前なんだけど、自分の財布やハンカチの柄までもが他人に見えてしまう。そうしたくない人はポーチを何個か入れてたりするけど、それも隠してるみたいで嫌だし。

そして九時、みつ屋のレジ横にあるタイムカードの機械に、自分のカードを入れてようやく出勤完了。バックヤードに透明バッグを置いたら、まずは届いているお菓子のチェック。

「おはようございます」

「おはよう、梅本さん」

先に来ている椿店長に挨拶して、店のスペース内に積み上げられた板重《ばんじゅう》を開ける。ちなみに板重っていうのは、学食でよくパン屋さんが使ってる長方形で浅い箱みたいなやつね。一番上に載せられた封筒から伝票を出して、中に並んだお菓子と照らし合わせてゆく。するとその中に、見慣れない上生菓子が入っていた。

「あれ、これって……」

手元の伝票には『青梅《あおうめ》』、『水無月《みなづき》』、『紫陽花《あじさい》』の文字。

「新しい季節のお菓子が来たわね」

板重を覗き込んで、椿店長が笑う。そうか、もう今日から六月なんだ。

「梅本さん、チェックが終わったら二セットほど別にしておいてくれるかしら」

「はい、わかりました」

私が数え終わった上生菓子を引き板の上に並べている間、椿店長は和風のカードにお菓子の名前を筆ペンで書いている。

「それと乾きものまで終わったら、さっきの上生菓子を一セット、開店前にフロア長のところへ届けてきてくれる？」

「はい」

言われた通り落雁やおせんべいなど日持ちのする箱菓子のチェックを済ませ、小さめの箱に三種類の上生菓子を詰めた。そして私は、フロア長のいる階段下の小部屋へと向かう。

「失礼します。みつ屋の者ですが」

半開きのドアから声をかけると、のっそりとフロア長が振り向いた。

「何」

「あの、椿店長がこれをと」

私が箱を差し出すと、フロア長はそれを受け取りもせず、いきなり蓋《ふた》を開けた。

「ああ、新しい季節のお菓子か」

小さくつぶやきながら無造作に『青梅』をつかみ出し、ぽいと口に放り込んだ。

（ええっ⁉）

「うん……」

フロア長は軽くうなずき、ごくりと喉を鳴らすと次は『紫陽花』、そして『水無月』とあっという間に平らげてしまう。朝からあんこ系の和菓子を三個、それも一気食いって。

（……どれだけ甘党？）

私が何も言えず立ちすくんでいると、フロア長は再びくるりと背を向け、片手を上げた。

「椿店長に言っといて。今月の重点商品におたくんとこのを載せるから、広報に写真届けておいてって」

「はい。ありがとうございます」

どうやら気に入ってくれたらしい。私が帰ってそのことを伝えると、椿店長は嬉しそうに笑った。

「よかった！　写真を載せてもらえると、ぐっと売れ行きが伸びるのよ」

「カタログに載るって、そんなに違うものなんですか？」

「もちろん。特に年配のお客様なんかは、写真を頼りに買うものを決めていらっしゃることが多いし」

なるほどねえ。確かに私もデパートに置いてあるリーフレットは、なんとなく熟読したりする。特にカラフルな食料品のあたりを。

「それにしてもフロア長って、食べるの早いですね」

「初めて見るとびっくりするでしょう？　でもあの人、あの調子で毎月すべての店の新製品を食べてるのよ」

「すべて、ってこのフロア全部ですか」

ちょっと待って。確かこの階には、三十店舗くらい店が入ってたはずだけど。

「胃が丈夫よねえ」

いやいやいや、そうじゃなくて。

「でもあの人、舌は確かよ。だから自分が食べて、これはいけると思ったものしかプッシュしないの」

まあ、それはある意味誠実な感じがするけど。でも。

（健康には、良くないよね……？）

首をかしげながら箱菓子を積む私の横を、出勤してきた立花さんがすり抜ける。時計を見ると、九時五十五分。今日は中継ぎのシフトだから、彼は十時から七時の勤務になっていた。

「おはようございます」

「おはよう、立花くん」

挨拶を交わし、それぞれが最後にもう一度身支度を整えたところでカウンターの中に立つ。すると間もなく、館内に軽やかな音楽が流れ始める。

『従業員の皆さん、東京百貨店は開店二分前になりました。指定の配置につき、お客様を迎える準備をして下さい』

全館放送が二度繰り返されると、いよいよ開店だ。一番乗りのお客さんが通路を通り過ぎるたび、皆が「いらっしゃいませ」と頭を下げる。急な手みやげを買いに来た人や朝が早そうなお年寄り、それに限定品を手に入れようと早起きした人などが目当ての店に辿《たど》り着く頃、ようやく一段落つく。

フロアの通路をざっと見渡した椿店長は、ショーケースの下段を開けて何かを取り出した。

「梅本さん、立花くん、こっちへ来て。今のうちに試食をするわよ」

「試食？」

「そう。新製品が出たときは、お客様に説明できるように皆で食べるの」

ちょっといい仕事でしょ。そう言いながら椿店長は、楊枝《ようじ》で三種類の上生菓子を四等分し、桜井さんの分を先に取り分けておいた。

「はい。それじゃどうぞ」

楊枝を渡されて、まずは『紫陽花』を一口。カラフルな寒天の角切りで包まれた中に、シンプルな白餡《しろあん》が入った綺麗なお菓子だ。味は思いのほかあっさりしていて、口の中で餡がさらりと溶けてゆく。

（……おいしい！）

ぷりぷりの寒天にからむ、液体と化した餡。あまりの口溶けに、しばし私は無言になった。普段自分が食べていたお餅の餡は何だったの、と言いたくなるくらいの上品さ。みつ屋の上生菓子は一つ三百円から四百円もするので、ちょっと高すぎると思ってたけれど、食べてみれば適正な値段だと思う。

「うん、この餡はよく出来てる」

立花さんは目を閉じて味わい、作り手らしい表現でうなずいていた。無表情にしようとしても、口の端《はし》が上がってちょっと笑顔になってるのがおかしい。

次に食べたのは『青梅』。これも同じあんこの味だと思い込んでいた私は、中から突然出て来た甘酸っぱいものに驚かされた。

「梅味なんですね、これ」

「白餡に梅の甘露煮の裏ごしを混ぜて、さらに中心には煮詰めた梅ジャムを包んでるんですって」

ファックスで送られてきた商品説明を見ながら、椿店長も口を動かす。そして最後の『水無月』、これは初めて目にするお菓子だ。しかし今までのものとは違って、見かけがなんとも地味。

（いや、味は普通においしいけど……）

三角形に切り出された平たいういろうは舌にひんやりとした感触を与えるし、その表面に散らされた小豆《あずき》は程よい歯ごたえとほのかな塩気を残す。しかし華麗なデザインが多い上生菓子の中では、なんとも田舎臭いというか、普段使いのお菓子のようにも思える。

「なんかこれだけ、雰囲気が違いますね」

私が首をかしげると、立花さんがじろりとこちらを睨みつけて一言。

「縁起ものなんです」

「……食べると寿命が延びたりするんですか」

「立花くん、梅本さんが知らなくても無理ないわよ。もともとこれは京都の方の習慣なんだから」

椿店長はショーケースの内側に貼ってあるカレンダーを指さす。

「まず、六月を水無月って言うのは知ってるわよね」

「はい」

「一年は十二ヶ月。そうするとここは、ちょうど折り返し地点。そこで昔の人は『氷の節句』という日を設けて、無事に過ごせた半年の厄《やく》を払い、これから半年の無事を祈ってこのお菓子を食べたのよ。もとになった神事の名前は夏越祓《なごしのはらえ》で旧暦の六月一日、現代では六月三十日がその行事日に当たるわ」

桃の節句とか端午の節句は知っていたけど、氷の節句なんてものがあったとは。

「でも、なんで氷なんですか？　暑いから？」

「ええ。実際、偉い人たちは暑気払いに本物の氷を口にしたそうよ。けれど冷蔵庫なんてない時代だったから、一般の人々は氷を模したお菓子で無病息災を願ったの」

そっか。せめて気分だけでも氷を食べたかったんだね。私は昔の人に思いを馳《は》せて、しみじみと『水無月』を味わった。

「ちなみに三角形は割れた氷のモチーフ、そして上の小豆は赤い色が魔よけになるということで必ず載せられるそうです」

お菓子事典のような立花さんの補足説明をメモに取り、私はうなずく。これならお客さんに聞かれても大丈夫だ。もちろん、味に関してもね。

＊

十一時の声を聞くと、いきなりデパ地下は活気づく。早めにランチを手に入れにくるサラリーマンや、昼までに家に帰ろうとするお年寄りや主婦がやってくるからだ。みつ屋は一人ずつ交代で昼休憩を取るため、私は時計を確認してタイムカードを押す。

そしてその流れを引き継いだまま十二時。一回目のピークが訪れた。辺りはお惣菜の匂いで溢《あふ》れ、通路を歩く人は皆お弁当の袋を下げている。けれどお菓子部門が本格的に忙しくなるのはやはり午後からなので、みつ屋はまだゆったりとした空気に包まれている。

「お先にお昼、いただきました」

私が声をかけると椿店長が「おかえりなさい」と迎えてくれた。私と入れ替わりに休憩を取る予定の立花さんは、ちょうど接客中らしい。若くて綺麗な世田谷マダム系の女性は、しばらく見ていてもなかなか注文が決まらない。しかもショーケースにもたれかかったりして、なんだか必要以上にゆっくりとお菓子を選んでいるような。

「……もしかしてあれ、モテてるんでしょうか」

小声でたずねると、椿店長はぷっと噴き出した。

「確かにあの方、私が近かったのに彼の方へ行ったわね」

なんにせよ、あのお客さんが帰るまでは立花さんもお昼に出られそうにない。私は薯《じょ》蕷《よ》まんじゅうが売れた分だけ山を整えようと、ショーケースの戸を開けた。しゃがんで片腕を伸ばし、竹製のトングでおまんじゅうを摑む。そのとき、ケースのガラス越しにこちらへ向かって走ってくる人の姿が見えた。

「すいません！」

ヒールの音も高く駆け込んできたのは、例のＯＬさん。

「はい、いらっしゃいませ」

私が立ち上がろうとしたところ、椿店長が先に応対してくれた。

「あの、ええと」

慌てた様子で女性はショーケースを見つめる。そんな彼女に向かって、椿店長は何気ない感じでたずねる。

「もしかして『水無月』をお探しですか？」

「え？　あ、はい！　そうです。その『水無月』を九個、大急ぎでお願いします！　昼食会のデザートに間に合わせたいので」

「かしこまりました」

それを聞いた私は、この間立花さんがしてくれたようにサイズのあう箱と包材をセットし、領収証を椿店長の手元に滑り込ませた。そしてお菓子の確認が終わったところで、包みに入る。

「あの、なんでまたわかったんです？」

足踏みせんばかりに急ぎながらも、女性は不思議そうにたずねる。椿店長は素早くペンを走らせながら、にっこりと微笑む。

「上の方が茶道を嗜まれているとうかがったもので、そう思いました。昨日もいらして今日もいらっしゃるということは、半年ぶりの厄払いが終わったんですよね？」

「……そうなんです！」

品物と領収証を受け取った彼女は、激しくうなずく。椿店長はそんな彼女に視線を合わせて、真顔で言った。

「きっとこれから、良くなりますよ」

何か響くものがあったのか、彼女はぐっと表情を引き締める。

「はい。ありがとうございます」

私はと言えば、二人の会話にまったくついていけず、ただぽかんと突っ立っていた。なんだろう、これ。椿店長は、まるでデパ地下の占い師みたいだ。

「連日ありがとうございます。またお待ちしておりますね」

最後に深々と頭を下げる椿店長の隣で、私も慌てて頭を下げる。女性は会釈を何度か繰り返したあと、いさぎよく背を向けて駆けていった。

「店長。なんだったんですか、あれ」

突っ立ったままの私の隣で、立花さんがぽつりとつぶやく。しかし椿店長はその問いかけには答えないまま、女性と反対方向にいきなり歩き出した。そして早足で向かったのは、やっぱりバックヤード。

「うおっしゃあああ！」

壁ごしに聞こえてきたのは、意味不明の雄叫《おたけ》び。立花さんと私は無言で顔を見合わせ、またもや微妙な沈黙の中、店頭に立ち尽くしていた。

＊

五分後。満面の笑みで戻ってきた椿店長に、私たちは今度こそ説明を求めた。

「別にたいしたことじゃないわよ」

おっとりと微笑む椿店長。しかし立花さんは退《ひ》かなかった。

「いえ。このままじゃ気になって、昼休憩にも行けませんから」

「でも、ねえ」

「……店に起こったことを知っておきたいと考えるのは、店員として良くないことなのでしょうか？」

敬語百パーセントの、静かな語り口。これはなんというか、勢い良く問いつめられるより迫力がある。私は思わず、その後押しをするように訴えた。

「そうです。教えてもらわないと、気になって後の仕事がおろそかになっちゃいます」

「しょうがないわねえ」

さすがの椿店長も、二人揃っての攻撃には参ったらしい。わざとらしく大きなため息をつくと、レジ脇のメモを一枚取ってショーケースの上に置いた。

「初めてここへ来た日、あの方は十個のお菓子を買ったわね」

そう言いながら、十個の丸を書く。

「その内分けは『兜』と『おとし文』が半々。しかも買うものが上生菓子であることしか決まっていなかった」

「けれど店長が時間帯と彼女の様子から、年配の男性の集まりで使われるのではないかと当てました」

そうそう、あのときすでに占い師みたいだったっけ。

「そして最後に、上司の方が茶道を嗜まれるとうかがったから、おつかいを依頼したのはその人物だろうと思ったの」

茶道を嗜む上司を含む、十人の年配男性の集まりか。

「つまりこの十人は、会社の偉い人たちなんですね？」

「あら梅本さん、するどい」

軽く手を叩くような素振りをしてから、椿店長は丸の一つにチェックマークを入れる。

「まず、これを彼女の上司だと仮定します。そして彼女がうちのお菓子を持って帰った日、この方は当店に『おとし文』があることを知ります」

「そこで何かを思いつき、再び彼女に買いに来させたというわけですか」

「そうね。でももしかしたら、彼女が自発的に来たのかもしれないわ」

「え？　どういう意味ですか」

だって自発的におつかいに来るなんて、おかしくない？

「たとえば最初の日、お菓子を買って帰った彼女にその方は説明したかもしれない。『兜』は五月人形、じゃあ『おとし文』は何を模してると思う？　なんていう感じで」

「そんなやりとりがあったと仮定すると、次に彼女が買っていった内分けは意図的なものだと言えますね」

『兜』が九個に、『おとし文』が一個。椿店長は別の丸を一つ、斜線で塗りつぶした。

「あのとき、時間は十時を回ったばかりだったわね。そんなときに慌てて買いにくるってことは、何があると思う？」

「――予定外の会合、でしょうか」

「そう。会社の偉い人が急に午前中に集まらなければいけない事態。それってちょっと一大事な感じよね」

そんなとき、あえて彼女は一つだけ『おとし文』を買う。

「お出しするときの理由なんて、どうとでもなるわ。偶然これだけしかありませんでした、なんて言いながら自分の上司の前で、特定の人物に『おとし文』を出すの。それもこれも、『急な会合』というエクスキューズがついているから不自然には感じられないでしょう。ま、気が利かない部下だとは思われるかもしれないけど」

斜線の丸がその人物に当たるらしい。

「それが何らかのメッセージであることはわかりましたけど、一体どんな意味なんですか」

和菓子に詳しい立花さんは、自分の知らない由来があるのかと気になっているんだろう。

「『おとし文』は、確か虫が落とした葉っぱを手紙に見立てたものですよね」

すると椿店長は何を思ったか、レジの下から小さめの国語辞典を引っ張りだした。なんでも、たまに難しい言葉をのし紙に頼まれたりするから辞書は必要なのだという。

「これで『おとし文』をひいてみなさい」

言われるがままに、私はページをめくった。そしてその言葉に行き着いた瞬間、体の中を緊張が走り抜ける。

『落とし文――廊下や道端などにわざとそっと落としておく無記名の文書で、公然とは言えないことを書いたもの』

上から覗き込んでいた立花さんも、静かに息を呑んだ。

「公然とは言えない、こと……」

それはおそらく、無記名の告発。お菓子の形を借りた爆弾だったのだ。

＊

「おそらく、彼女は二度目にお菓子を買いに来た日、役員の不正を知ってしまったんじゃないかしら。けれど自分の上司に直訴しようにも、もう役員会議が始まってしまっている」

そこで彼女は、『おとし文』に全てを託す賭《か》けに出たのだ。茶道を嗜む上司なら、その意味に気づいてくれるだろうと信じて。

「裏切り者を、お菓子で示したっていうんですか！」

「多分ね」

椿店長のペン先は、斜線でつぶされた丸に二本線を入れる。

「だからこそ今日、彼女は九個のお菓子を買いに来たんだわ」

「一人、いなくなったってことですか……」

眉間に皺《しわ》を寄せて立花さんがつぶやく。

「でも、なんでいなくなったってわかるんですか？　もしかしたら一人をのけ者にして、こっそり会議を開いてるかもしれないのに」

「それはね、さっき彼女が教えてくれたわ」

「え？」

「昼食会のデザートに間に合わせたい。彼女はそう言ってたわ。でも考えてみて。お昼の会食で十二時に買いにくるってことは、お食事自体はもう出ていることになるわよね」

そして皆がそれを食べている間に買いに来た。そういうことだろう。

「でもそれっておかしな話よね。食事の手配は整ってるのに、デザートだけないってどういうことかしら？」

「届いてなかった、なんてことじゃないですよね」

「そうね。私が思うに、食事に付属した果物くらいはあったのよ。でもそれは、十人分」

「十人分、って……」

どういうことなんですか。私は思わず丸が一つ消されたメモを見つめる。裏切り者は、一体いつ判明した？

「あ、そうか。翌日のお昼を注文した時点では、まだ十人だったんですね」

私が顔を上げると、椿店長が私の頬を人差し指でつつく。

「もうホント、梅本さんは気がつくわね」

「え、いえ、そんな」

なんでいきなりフレンドリー？　でもまあ、私はご存知の通りこんな体型のおかげで、昔からたくさんの人に「ぷにぷに？」なんて言われながらほっぺをつつかれてきた。だからこういうのは慣れっこなんだけど。

「何やってるんですか、店長」

いい加減焦《じ》れたのか、立花さんが刺々《とげとげ》しい声で先をうながす。けれど椿店長は余裕の笑みで彼を見つめ返した。

「梅本さんが指摘したように、おそらく今日の会合が九人になったのは不測の事態のはずよ。そして彼女が持ち帰ったお菓子の予定表を見ていた彼女の上司は、今日が六月一日であることに気づいたんでしょう」

「ああ、だから会社の無事を喜び、これからの結束を高めるために『水無月』を食べたってことですか」

そして頭の中に、午前中の出来事がフラッシュバックのように甦《よみがえ》る。椿店長はあのとき、何て言ってた？

「……半年ぶりの厄払い！　それって役員の『やく』とかけてたんですか！」

「そう。裏切り者の厄介払いともかけてたんでしょうね。でもそのヒントは、梅本さんが一つだけの『おとし文』を見ていじめられてるみたい、って言ったことなのよ」

「なるほど、氷の節句だから半年ぶりなんですね。とすると半年前から、内紛を起こそうと画策してる人物でもいたんでしょうか」

多分そうでしょうね、と椿店長がうなずく。すごい。でも、たったあれだけのやりとりでここまでわかるものなの？

（外れてる、とは言えないかもしれない。でも……）

ただの推測、とは言えるかもしれない。私はよせばいいのに、ついそれを口に出してしまった。

「でも、椿店長のお話には実証がありませんよね」

瞬間、二人の視線が私に集中する。しかも椿店長の顔が、ぐっと険《けわ》しくなってる。うわ、ついにバックヤードの店長が出て来ちゃうのかな。思わず首をすくめて縮こまっていたら、またもや椿店長は私のほっぺたに手を伸ばす。

「んもう、本当に賢いなあ！」

……あれ？　しかもこれ以上ないってくらい嬉しそうな表情で、椿店長は私の頬をつついている。

「多分、らしい、かもしれない、で納得しちゃう人って案外多いのに、梅本さんはしっかりしてるのね。でも安心して、実証ならあるわ」

これよ、といって一枚の紙を出す。見ると折れ線グラフのようなもので、その端には彼女の勤めている会社の名前が書いてあった。しかし私の頭上からグラフを覗き込んでいた立花さんは、その会社名を目にした途端、いきなり顔色を変える。

「ちょっと店長。これ、株価の推移じゃないですか！」

不自然なほどひそめた声で、あたりをきょろきょろと見回した。ランチタイムだから人通りは多いけど、こちらに向かってくるお客さんはいない。

「そうよ。最初に買ってくれたとき、いい顧客さんになってくれそうだからちょっと株価の情報を見てみたわけ。そしたら半年前からずるずる値下がりしててね、ネットで調べたらこの会社、役員レベルで内紛が起こるって噂が流れてたわ。それで一時株価が落ち込んでたみたい」

「だからそういうの、大きな声で言わないで下さいって！」

ひそひそ声でたしなめる立花さんは、青くなったり赤くなったりしてもう大変だ。私はと言えば、もうお手上げのフリーズ状態。だってお菓子一つで、こんな大事《おおごと》に辿り着くなんて誰が想像できただろう。

「気になるならこの表、バックヤードへ持っていって二人で見てくればいいわ。立花くんはそのまま休憩に行ってね」

でないと私のお昼が忙しい時間に当たっちゃうでしょ。そう言いながら椿店長は自然な動作でカウンターに向き直った。

＊

バックヤードに入った途端、立花さんは大きなため息をつく。

「あーもう！　本当に店長といると寿命が縮むよ！」

裏にいるせいか、今までの敬語が崩れて年相応の言葉遣いになっている。でもその方が自然に思えて、私はちょっとほっとした。

「椿店長って、いっつもあんな感じなんですか？」

「そう。頭がいいし、接客も完璧。お菓子のロスだって他店に比べて本当に少ない。いい店長だと思うよ。でもさ」

「……でも？」

聞きたいけど嫌な予感。でも聞かなきゃもっと怖いような。

「賭け事大好き、おかしな噂に首を突っ込むのはもっと好き。好物は牛丼とビール。でもって可愛い女の子をバイトに入れるのが趣味なんだ」

「はい？」

確かに雄叫びは強烈だったけど、可愛い女の子って！

「店長は見た目こそ女性だけど、その中身は、ただのおっさんなんだよ」

「はあ……」

なんかもう、色々ありすぎて頭がパンクしそうだ。でも一つだけ安心材料がある。

(とりあえず私、可愛い女の子じゃないからなあ)

だからきっと、普通に面接してくれたはず。じゃなきゃこの爪をほめてくれたりしなかっただろうし。うん、実害はなさそうだから心がおじさんでもかまわないや。しかもその趣味が役に立ってるわけだし。

そんなことを考えながら、椿店長に持たされたままの紙をぼんやりと見つめる。すると表の右側、つまりグラフの最後の点が小さくきゅっと上向いていることに気がついた。

「立花さん、これ」

「え?」

「この日付、見て下さい」

そこに記されていたのは、六月一日。今日だ。

「また値上がりしてる……!」

役員交代の噂が流れたのか、それとも公式発表があったのかは知らないが、とにかくこの会社は再び元の株価を取り戻そうとしている。

「社会って、つながってるんですねえ」

この事件が良いことか悪いことなのかは、私には判断できない。もしかしたら追放された人の方が、内部告発をしようとしていたのかもしれないし。だから簡単に「良かったね」とは言いたくない。

良いとか悪いとかじゃなくて、後にならないとわからないことが世の中にはある。それはたとえば私が進学も就職もせず、この店に入ったこと。友達に今はどうなの、と聞かれてもまだ答えることができない。ただ前に進むだけだ。

「梅本さん」

そのとき、頭上で同じ表を覗き込んでいた立花さんの顔がすっと横に並んだ。

「はい？」

「あのさ」

間近で顔を見られて、私はビビりまくる。忘れてたけど、この人ってそれなりにイケメンだった。しかし次に立花さんの口から出た言葉に、私は耳を疑う。

「ほっぺた、触ってもいいかな」

「はあっ？」

いいですよ、と答える前に指が伸びてきた。長い人差し指と親指が、私の頬をむにゅっと挟む。

（えええええーっ？）

何これ。ていうかこの店、なんで皆こうなの？　でもってどう反応すべきなわけ？　男性にこれっぽっちも免疫がなく、かつお笑いキャラクターで生きてきた私に、こんな状況の対応マニュアルはない。さらに顔面の温度はみるみる内に上昇。が。

「うわあ、やっぱりすごーく柔らかい！」

立花さんは心から嬉しそうに、私のほっぺたをふにふにつまんでいる。えーと、これは女友達がよくやるパターンだと思う。しかも。

「ねえねえ、梅本さんの名前って杏《あんず》の子で杏子だよね。和菓子屋だし、あんこちゃんって呼んでもいいかなあ？」

妙にテンションが高い。

「店長ったらずるいよねえ。女の人だからってほっぺた触りまくってさ」

もしやこれは。

「立花はんって、ゲイでふか」

考えるよりも先に、口が動いていた。すると立花さんは、冷水を浴びせかけられたように突然動きを止める。

「……やっぱり、そう見える？」

私はほっぺたを挟まれたまま、こくりとうなずいた。ゲイだったら、可愛い女の子が好きと言う椿店長と衝突するのも当然だろう。

「前のバイトの子は、僕が気持ち悪いって言い残して辞めたんだ」

立花さんの手が、するりと頬から離れた。悲しそうな表情。私は思わず、笑顔を作って彼を見上げた。

「立花さん、私は気にしませんよ。そういうのって、良いとか悪いとかじゃなく、しようがないことだと思うから」

「……あんこちゃん!!」

急転直下で感動の表情。彼はなんだか、全体的に喜怒哀楽の激しい人だ。ていうかそのあだ名を許可した覚えはないんですけど。しかし次の台詞《せりふ》は、私をさらに混乱へと陥れる。

「あ、でも僕、ゲイじゃないよ」

「へっ？」

「なんか態度がそれっぽく見えちゃうけど、可愛いものが好きなだけでごく普通の男子だから」

いやいやいや。ごく普通の男子は、自分のことを「男子」なんて言いませんから。

「でもお店ではちゃんと喋るから、これからもよろしくね」

「あの、せめてあんこの『こ』は取ってもらえませんか」

だってこの体型であんことか呼ばれたら、日本の国技をやってるあの人たちを連想しちゃうし。

私があだ名の妥協案を出すと、ぱっと顔を輝かせる。

「アン？　赤毛のアンみたいでいいね。よし、決定！」

今日はアンちゃんと、ちゃんと話せて嬉しかった！　両手でぎゅっと私の手を握ると、立花さんは透明バッグを肘《ひじ》に掛け、スキップせんばかりの勢いで部屋を出ていった。

……で、私にどうしろと？

＊

店に戻ると、椿店長がにっこりと笑って迎えてくれた。

「女子だったでしょ」

「はい、女子でした」

あえて主語を外すのは武士の情け、いや女子の情けか。

「あれはなんていうのかしら、女の中で育ったみたいな感じよね」

「最近の流行では乙女系男子、とか呼ばれてるらしいですよ」

「そういえばあいつ、『おとし文』を見て、ラブレターみたいでロマンチック！　とか騒いでたわね」

ちっ、と舌打ちの音が聞こえたのは気のせいだろうか。

「黙ってれば結構イケてるのに、もったいない話」

「ですよねえ」

前を向いたまま、私と椿店長は茫洋《ぼうよう》とした会話を続ける。

「ところであれ、わざとですか」

立花さんの性格がわかった今、私は椿店長のある行動に疑問を覚えはじめていた。

「何のことかしら」

「ほっぺた、わざとらしいくらいに触ったでしょう」

それは横で見ている立花さんが悔しがって、正体を出すくらい。

「どうかしらね」

「あとお花。立花さんの前で乱暴に捨ててましたよね」

もしかしたら、早めにすべてをさらしておこうとしてくれたのかな。そんなことをちょっとだけ考えた。すると椿店長は、私の方を見て優しく微笑む。

「やっぱりあなた賢くって、好きだわ」

最後に、もう一つだけ。

「ちなみに、儲《もう》かりましたか？」

偶然知ってしまった会社の内情。それを椿店長は趣味に生かしたのだろうか。しかし椿店長は、唇をきゅっとすぼめて人差し指を立てる。

「内緒。でもほっぺに触りたかったのは本当よ。だって梅本さん、ペコちゃんみたいで可愛いから」

うわあー。採用基準の「可愛い」って、案外間口が広いんだ。

＊

アルバイトを始めてはや一月《ひとつき》。すっかり慣れた地下通路を歩きながら私は思う。

（あの店、びっくり箱みたい）

なにしろ、いかにも上品そうな見かけの椿店長の中にはおっさんが住み、職人志望のイケメン立花さんには乙女が住んでいるのだ。桜井さんはまだ不明だけど、この面子《メンツ》の中で普通に働けているということは、やはり何かがあるような気がする。

「いらっしゃいませ!」

満面の笑みで接客しながらも、株価が気になってしょうがない椿店長。

「またお待ちしております」

きりりとした表情の後ろで、両手をもじもじ組み合わせている立花さん。

さて、私の中にはどんな人が住んでいることやら。

一年に一度のデート

朝、目が覚めて窓の外を見る。天気は晴れ。今日も暑くなりそうだ。

「あーあ」

私はため息をつきながら、寝巻きがわりのTシャツと短パンを脱ぐ。天気がいいのは好きだけど、別の意味で晴れるのは困る。脱ぎながら、急いでエアコンのスイッチを入れる。本当はすぐにシャワーを浴びられればいいのだけど、うちはそんなお洒落ライフができるような家じゃない。だからせめて起き抜けに汗をかかないよう、注意して私は服を着替える。

ハーフカットのデニムと二枚重ねのキャミソール。最近流行の服は、裾がひらひらして隠すのに最適だ。どこを？　それを聞く？　どうしても聞きたいなら言うけど、それはウエストだ。

しかし何気なく振り返って鏡を見た瞬間、私の心はどん底まで突き落とされた。

（二の腕、たるたる!!）

おそるおそる指でつまむと、つきたての餅のようにむにゅっとのびる。気持ちいい。じゃなくて、激ヤバ。ウエストと違って、腕は隠せない。

「おはよう……」

どんよりとした気分で食卓に着くと、お母さんが上機嫌でフライパンを返していた。この暑いのに火の前に立てるなんて、ちょっと尊敬する。

「あらおはよう。今朝はあんたの好物よ」

喜びなさい、とばかりにお母さんは私にお皿を突き出す。黄金色に焼けたほかほかのフレンチトースト。ミルクとバターがたっぷりで、シロップの代わりにマーマレードがどかんと添えられている。

うわあ、おいしそう。口元がふと緩《ゆる》みそうになるのを、私は必死で押しとどめる。違う違う。そうじゃなくて、これは悪魔の食べ物だ。砂糖に、油脂。こんなものを食べ続けているから、私の二の腕はあんなことになっているわけで。

でも……せっかく焼いてくれたんだし、一口も食べないってわけにもいかないよね。そうだ半分。半分だけ食べてあとは残そう。私は紅茶を人数分いれると、食卓に着いた。

「ごちそうさま」

あれ。いつの間にか、お皿の上が空っぽだよ？　私は口の周りについたマーマレードをぺろりと舐《な》めて、はたと気づく。ヤバい。無意識に全部食べちゃった。

（もう！　これじゃ一生ダイエットなんて無理だよー！）

私は朝から激しい自己嫌悪の嵐に襲《おそ》われながら、お皿を片付けた。

結局、外に出るときは薄手の半袖カーディガンを羽織ることにする。どうせ電車の中は冷房で寒いし、と二の腕を隠す言い訳をしながら私は歩いた。ついでに汗で流れることを考慮して、顔は完璧にすっぴん。けれど朝からきつい日射しのもと、重ね着は無用の長物と化し、日射しは何の保護もない肌をじりじりと焼いてゆく。せめて日焼け止めくらい塗ればよかったかも、そう思った頃、ようやく駅に着いた。

脇の下や背中に汗の感触があったけど、あえて気づかないふりをして電車を待つ。乗ってしまえば、涼しくなる。なのに神様、乗り込んだ車両がどうして弱冷房なんですか。

（暑くない、暑くない）

自分に暗示をかけながら、私は降りる駅を待つ。ここで汗をかいてしまっては、せっかくの努力が水の泡だ。いっそカーディガンを脱いでしまおうかとも思ったが、たるたるの腕でつり革に摑まるのもぞっとしないから却下。

夏。デブにとっては汗との戦いの季節。でも、だからといって薄着になんかなれないし、水着なんか言語道断。

……どうしろっちゅーの。

＊

百貨店の従業員入り口は二つ。ひとつは地上の裏通り側で、もうひとつは駅直結の地下道にある。地上の方は配達用車両の出入り口と一緒だから、外から見てもそれなりにわかりやすい。けれど地下道にある入り口ときたら、ぱっと見ではまずそれとわからない。

ごく普通に地下道を歩いていると、まるで作りかけて途中で止めたような中途半端など ん詰まりの通路が見えてくる。普通の人はまず通り過ぎてしまうその通路を、突き当たりに向かってずんずん進むと古ぼけた鉄の大きな扉が現れる。

何も書いていないその扉を開けると、四畳半程度のスペースがあって、その先にはまた鉄の扉。ここでちょっと不安になるが、次の扉にはごく小さな字でこう書いてある。

『東京百貨店従業員専用・関係者以外の立ち入りはご遠慮下さい』

ダンジョンか。それとも喧嘩売ってんのか。それぐらいわかりやすさということに気を使っていない入り口。それが地下の入り口だ。

「このデパートは結構古いから、もしかしたら軍事施設に使われてたりして」

なんて都市伝説めいた話をしてくれたのは、椿店長。でも軍事施設というよりは、ただの一般人迷い込み防止という気もする。

　そこから地下へ三階ぶん降りると、ようやく警備員室が見えてくる。監視カメラの前をどきどきしながら通り、次に通るのは従業員受付。

「おはようございます」

「はいどうもー」

　挨拶とともに従業員証を見せると、カウンターの中でおばあちゃんに近いおばちゃんが会釈をしてくれた。エプロン姿のおばちゃんは従業員の通行に加えてロッカーなどを管理する係らしく、日がな一日この地下フロアにいる。ロッカーの鍵をなくしたり、私物をなくした人などはおばちゃんに届けておくと処理してくれるらしいけど、仕事というより住んでる人みたいな印象だ。それでもって、なんだかやけに迫力がある。

　だってここは都合地下四階。日の光なんかこれっぽっちも届かない、アンダーワールドだ。地下一階でさえずっといるとおかしくなりそうなのに、毎日ここにいるなんてすごい。ダンジョンで言うなら、村の入り口にある店の主《あるじ》ってところ。黙ってるとこわいけど、声をかければ必ず有益な情報をくれそうな感じ。

「今日も暑いですねー」

　そのイメージに従い、私はおばちゃんに声をかける。無言で通り過ぎてゆく人の方が多いのだけど、商店街育ちの私はそれも失礼な気がしてスルーできない。

「ホントねえ」

おばちゃんは軽くうなずくと、じろりと私を見ていった。

「ああそう、今日は帰りにお菓子の安売りワゴンが出るよ。普段割引しない店のやつだから、あんたも買っていくといい」

ほらね。やっぱり話しかけるに越したことはない。

受付を過ぎると、今度はまた別のカウンターが見えてくる。そこはクリーニングの受付で、従業員の制服を一手に請け負っている。家に持ち帰って洗う人もいるらしいが、ここは普通よりも値段が割安なので利用する人の方が多いようだ。それにここで頼めば制服を忘れることもなくて、一石二鳥といったところか。

(そういえば、新井クリーニングさんもこういうのやってるのかな)

お母さんが働いているクリーニング屋さんを思い出して、ふと懐かしさを覚えた。私もよく、学校の制服をあそこで綺麗にしてもらったっけ。今は違う制服を着てるけどね。私は一人ごちると、さらに進んだ。

ここで通路は、大きく二つに分かれる。そう、ここから先はロッカールームなのだ。私は迷わず『女性更衣室』と書かれたドアを開け、自分のロッカーへと進む。

いかにも業務用、といった感じの灰色のロッカー。その間に並ぶ長いベンチ。これで明るかったら都民プールの更衣室って感じだけど、なにしろここは地下四階だ。

長い間使い回されているであろう古ぼけたキーを取り出すと、私は自分のロッカーを開けた。中には黒のローファーとスカート、それにエプロンがしまってある。私は自分で洗濯してきたブラウスとストッキングを取り出すと、制服に着替えはじめた。ブラウスは、悩んだもののやはり半袖を持ってきた。長袖で汗をかくくらいなら、多少寒くてもこちらの方がいいと考えたのだ。

「いやー、しかし今日は暑いねー」

「ホントホント、やんなっちゃう」

着替えていると背後から、同じように早番で出勤してきた人たちの声がざわざわと聞こえてくる。

「でも上に出ちゃえば寒いしねー」

「上の方がまだマシよ。一階なんて、他よりもきつめに設定してあるんだから」

そうか。一階はお客さんの出入りで空気が温まりやすいから、寒くしてあるんだ。私はエントランスをくぐったときのすうっとする感じを思い出す。ここは地下の従業員専用というわけではないから、色々な階で働く人がいる。だから会話を聞いているのは、ちょっと面白い。

「なのにうちのフロア長ったら、カーディガンは季節感をそぐから不可とか言うし。自分は長袖の背広着てるくせしてさ」

あらら。それはひどい。私はエプロンの紐をきゅっと締めると、ロッカーに鍵をかけた。

「でもまあ、いっか。どうせ今日から私、展示会要員だし」

「そうなんだー」

「あのフロアはそんなに寒くないから、お中元様々ってとこね」

お中元。あげたこともらったこともない、私にとっては未知の習慣。しかし大人はそれに莫大なお金をつぎ込むから、売り場はおおわらわ。すべての店に贈答品や『サマーギフト』といったポップが飾られ、人気商品の在庫数が増える。そして特設フロアがあるにもかかわらず、店のカウンターで配送伝票を書くお客さんが溢れ、売り場は大混雑。

七月。夏の百貨店は、お中元に支配されているといっても過言ではない。

＊

お中元の時期、デパ地下は基本的に二分される。それはお菓子や漬け物などのギフト商品がある店と、お惣菜やベーカリーといった持ち帰りのみの店。みつ屋は当然前者なので、私もまたお中元商戦に関わることとなった。

「当店のお中元の主力商品は、水ようかんと葛《くず》きりです」

そう言いながら椿店長は、小皿に水ようかんを載せる。ちょっと持ち上げただけでふるふる揺れる感じは、いかにも柔らかそうだ。早番の立花さんと私は、それぞれ小さなスプーンでそれをすくい取る。そして一口。

（お、おいしいっ！）

極限のゆるさで固められた水ようかんは、舌の上を滑るようにとろけて広がってゆく。家で食べていた缶入りのやつとは、まるで別物だ。さらに出された葛きりはシロップに柚《ゆ》子《ず》の風味がつけられていて、呑み込んだあとまでさわやかに香る。

「うん、これはいいですね。水ようかんの柔らかさと葛きりの弾力が絶妙だ」

職人志望の立花さんは、口を動かしながら深くうなずいた。みつ屋では、新商品が届くと皆で味見をするのだが、今のところ何を食べても外れがない。

「店長、お日持ちはどれぐらいですか」

食べ終わった私は、メモを片手にたずねた。

「水ようかんが三ヶ月、葛きりが一ヶ月よ。あと、バラエティーセットに入る干菓子《ひがし》とあられは三ヶ月」

和菓子の店に来るお客さんは、おつかいものとして買いにくる人も多い。だからこそ、それぞれの日持ちを覚えておかなければならないのだ。

「さてと、開店まではあと二十分あるわね」

椿店長は壁の時計をちらりと見てから、いきなり私の顔を覗き込む。

「梅本さん」

「は、はい？」

またほっぺたを引っ張られるのかと思い、私は身構えた。しかし椿店長の手は動かない。

「もしかして、今日はノーメイク？」

「あ、はい」

どうせ塗っても汗で流れてしまうし、それならいっそ素顔の方が良いかと思ったのだ。だって食品を扱う販売員には、清潔感が第一だし。しかし椿店長の表情は厳しい。

「メイク道具は、持ってきてるのかしら」

「え、あの、リップくらいしか……」

「しょうがないわね。ちょっと立花くん、一階の五月《さつき》さんとこに連れてってあげてくれる？」

一階の五月さん？　首をかしげる私を尻目に、立花さんは嫌そうな顔をして後ずさった。

「……あの人、苦手なんですけど」

「しょうがないわね。じゃあ私が行ってくるから、もし開店に間に合わなかった場合は頼むわよ」

そう言うなり、椿店長は私の手を摑んで歩き出す。

「え？　あ、あのっ、一体どこへ行くんです？」

「魔女のところよ」

地下食のフロアを抜け、従業員用の通路を下って地下二階へ。そしてそこから再び階段を上ると、デパートの花形である一階のフロアに出た。その中でも私が最も苦手とする、きらきらでピカピカの化粧品売り場。そこを目指して、椿店長は突き進んでゆく。

「開店前の忙しいときにごめんなさい。ちょっとお願いできるかしら？」

柱を取り囲むように並ぶブースの一つに声をかけると、振り返る人影があった。

「あら椿さん。どうしたの？」

若くて綺麗なお姉さん。まるで芸能人のように顔が小さくて、目がぱっちりとしている。

この人が、魔女？

「この子、軽くでいいからなんとかしてやって」

椿店長は有無を言わさず、私をお化粧コーナーの椅子に押し込んだ。五月さんと呼ばれた女性は、つかの間私の顔を見たあと、時計を見る。

「三分で戻すわ。安心して」

「ありがと。今度おごる」

椿店長は手を振ると、ばたばたと同じ道を戻っていった。開店十五分前。五月さんは両手に何かを絞り出すと、いきなり私の顔面をつかんだ。

「うわっぷ」

「おとなしく目と口を閉じてなさい。でないと五分かかるわよ」

ぐいぐいとクリームのようなものを塗り込み、使い捨てのスポンジでなじませる。そして軽くパウダーをはたいたあと、閉じたまぶたの間にぐっとペンシルが差し込まれた。

(目、潰《つぶ》されるっ！)

恐怖に引きつりつつ、私は必死で動きそうになるのをこらえる。すると今度は、正反対の指令が飛ばされる。

「目を開けて唇を出しなさい」

言われるがままに従うと今度はまつげにブラシが近づき、上下を繰り返した。さらに唇には紅筆が滑り、手早く輪郭を描いてゆく。

「はいオッケー。売り場に急ぎなさい」

頭をぽんと叩かれ、顔を上げると五月さんはすでに立ち上がって手を拭いていた。

「あ、ありがとうございます」

ぺこりとお辞儀をすると、目の前にふわりと白いものが舞う。

「唇、最後にティッシュで押さえときなさいね」

「はい」

「せっかく若くて可愛いんだから」

その言葉には素直にうなずきかねたので、曖昧《あいまい》に笑った。そして従業員用通路に向けて走り出す。


店に戻ると、椿店長が感心したように時計を見上げた。

「きっかり三分。さすが五月さんね」

「完成度もすごい。自分で見た？」

横から立花さんが小さな鏡を差し出す。ていうかなんで彼が鏡を持っているのかは、あえて問うまい。しかしそれを覗き込んだ瞬間、私は思わず声を上げてしまった。

「これ、誰っ⁉」

鏡の中で驚いた表情をしているのは、ちょっとふっくらしてるけどとびきり目の大きな女の子。

「すごいでしょ、魔女の魔法は」

「おそろしいですね。五月さんのことを知って以来、僕は女性のことが信じられなくなりましたよ」

「ホント、すごいですね……」

あんな短時間であんな乱暴な動きだったのに、仕上がりは繊細そのもの。メイクをしている方がナチュラルに見えるというのは、確かに魔法かも。

「あのね、梅本さん」

不意に椿店長が私に向き直る。

「こってりとしたメイクをしろとは言わないわ。でもデパートの店員である以上、お客様に対する礼儀として最低限のお化粧は必要なの。だから唇くらいは常に塗っておいてほしいの。わかってもらえるかしら」

「はい」

理屈はわかるけど、ちょっとだけ納得できなかった。私にとって食べ物を扱う人というのは、お化粧なんかしない清潔第一のイメージだったから。

とはいっても、綺麗にしてもらったのが嬉しくないわけじゃない。私は背筋をしゃんと伸ばすと、改めてカウンターに向かった。

＊

開店早々、お客さんが来た。大学生くらいの女の子で、和菓子屋のお客さんとしてはちょっと珍しいタイプだ。彼女はショーケースをじっと眺めた後、おもむろに私にたずねる。

「えっと、七夕《たなばた》のお菓子があるって聞いたんですけど」

上生菓子の『星合《ほしあい》』のことだ。私はケースを指して、黒い餡の地に透明な寒天が流されたお菓子を見せる。

「えっ？　これが？」

彼女が驚くのも当然だ。だって普通七夕のイメージといったら、水色の天の川に黄色いお星様だろう。けれどこれは暗い色の中にぽつりと鳥が浮かんでいるという地味なデザインなのだ。

「どうしてこれが七夕なんですか？」

このお菓子を見たとき、私も同じ質問を椿店長にした。そこで私は受け売りの知識を駆使して、お客さんに説明をする。

「まず、この黒いのは夜空です。星が浮かんでいないのは、まだ天の川が見えないから。そしてこの鳥はカササギ。織り姫と彦星が会うためには、カササギが橋を架けてあげなければいけません」

うんうん、と彼女はうなずいてくれた。

「なのでこのカササギは、これから橋を架けにいく途中なんです」

「ああ、そういう意味なのね。最初は地味だと思ったけど、理由を聞くとすごくロマンチック！」

ですよねー、と私もうなずき返す。

「織り姫と彦星が出会う前を表現してるなんて、珍しいと私も思います」

ちなみに星と星が出会うことから、七夕は星合とも呼ばれるんですよ。そう説明すると、彼女は指を二本立てた。

「じゃあこれ、二つ下さい」

「ありがとうございます。少々お待ち下さいね」

二つか。もしかしたら彼氏と二人で食べるのかな。そんなことを考えながら、私はふるふるとした漆黒の夜空を盆に載せた。ああ、そういえば私、こんなことしたことあるなあ。

あれは中学生の頃。バレンタインに告白するという友達のため、私は相手の男子を呼んでくることになった。相手は先輩だったから、三年生の教室を覗き込むというドキドキまで加わって、なんだか大騒ぎだった。そして私は彼女が校庭の桜の木の下で待っていることを伝えると、すぐさまその場を走り去って、今度は陰から二人を見守った。

告白はうまくいって、友達もすごく喜んでくれて万々歳って感じだった。でも、私は今でもあのときのことを思い出す。自分には告白したい相手なんていなかったけど、憧れてる人はいた。でも、この見た目じゃ問題外だと思っていたから、黙っていた。そんな私に、友達は「もし暇ならお願い」と声をかけてきた。だから友達のために走った。それだけの話だ。

悪い人は誰もいない。問題はどこにもない。なのに、こんな気分になるのはなぜだろう。きっと、カササギにだって相手がいるはずなのに。一人で夜空を飛んでいるなんて。そう考えると、胸のどこかがちくりと痛んだ。

「お待たせしました」

お会計を済ませて箱を渡すと、彼女は「それにしても、ちょっと早いのよね」と笑った。けれど今日は七月六日。決して早くはないと思うのだが。

私が不思議そうな顔をしたせいか、彼女は苦笑して言った。

「違うの。私が言ってるのは旧暦の七夕だったから。ややこしくて、ごめんなさい」

「ああ、そういうことですか」

でも旧暦って今の暦からすると前だっけ、それとも後ろだっけ。私がひっそり悩んでいると、他の接客を終えた立花さんがやってきた。

「北海道や仙台など、旧暦で七夕をする地方も多いですね。当店では双方に対応できるよう、来月も七夕のお菓子をご用意しております」

そうか、後ろだった。確かに中華街の旧正月って、年が明けた後にやってた気がする。今月のお菓子を追いかけるだけで精一杯の私は、心の中でメモを取る。

「そうなんですか！　だったら私、来月も買いに来ますね」

彼女はみつ屋のパンフレットを引き抜くと、嬉しそうに帰っていった。

「八月にも七夕のお菓子があるんですね」

「東京では珍しいでしょうね。でも茶道を嗜まれたり和菓子を好まれる方の中には、旧暦を大切にされている方も多いですから」

すらすらとよどみのない口調に、完璧な知識。立花さんは職人さん志望だと聞いたけど、私から見れば販売員の方が向いているような気がする。

「そういえば、梅本さんは短冊書いた？」

レジ横の引き出しを開けて、椿店長が私の前に小さな色紙《いろがみ》を差し出した。

「あ、まだですけど」

「じゃあ、せっかくだからこれ書かない？　旧暦に従って来月まで飾っておくから」

ショーケースの端に置かれた、小さな笹。それにはすでに数枚の短冊が下げられている。

願い事か。この間までなら就職だったけど、とりあえずそれは叶《かな》ったし。次に願うとしたら、痩せることかなあ。

（いやいやいや！　痩せるのは願い事じゃなくて努力だから！）

私は短冊をポケットにしまうと、とりあえずそれを封印した。

＊

次にやってきたお客さまは、可愛らしいおばあちゃんだった。枯れた黄色のサマーセーターと、白のスカートがよく似合っている。

「お中元をお願いしたいのだけど」

「はい。どちらのお品になさいますか」

「そうね。水ようかんの六個入りにしようかしら。あと自宅用に上生菓子もいただきたいのだけど」

　私は配送伝票にセット名を書き込んだ後、メモを持つ。

「今月のお菓子は『星合』、『夏みかん』、『百合』ですが」

「じゃあ『百合』と『夏みかん』、あら、『松風』もあるのね。じゃあみんな一つずつお願いするわ」

　ちなみに『百合』は白餡を百合の花の形に模した上品なデザインで、『夏みかん』は中心に果皮の砂糖漬けを包んだみかん形のかわいいお菓子だ。

（あ、洋服の色とおそろいだ）

　お盆に並べながら、私はそんなことを考える。でも『松風』は茶色だから、コーディネートってわけでもないか。最後に定番商品のコーナーから『松風』を出して、私は立ち上がる。そして椿店長がお会計をしてくれている間に箱詰めをし、紙袋に入れた。

「ところで、来月のお菓子は何かうかがってもいいかしら」

「えーとですね……」

　来月の予定表を見ようと私が振り返ると、椿店長が答えてくれた。

「『清流』、『鵲《かささぎ》』、『蓮《はす》』ですわ」

「あら。もしかして『鵲』は七夕の？」

「はい。旧暦の季節を望まれる方もいらっしゃいますので」

すごい。私はいきなりカササギって聞いても七夕なんて連想できない。やっぱり、お茶とかやってる人は知識が豊富なんだろうか。

「楽しみにしてるわ」

配送伝票の控えをハンドバッグにしまいながら、おばあちゃんは帰っていった。


「アンちゃん、何書くの？」

昼休み、バックヤードにいると立花さんが覗きにきた。中身が乙女な彼は、こういうイベントに過剰反応する。

「別に。特に考えていないので、世界平和とかですかね」

「ええー!?」

わざとらしく大げさなポーズでのけぞる。

「七夕に書く願いごとといったら、恋バナがデフォルトでしょう？　最近じゃ七夕のこと、サマー・バレンタインとか呼ぶところもあるみたいだし」

てかそれはあなただけのデフォルトなんじゃ。しかも何、そのサマー・バレンタインって。この国の人は、どれだけ独り身を際立たせる日を作れば気が済むんだか。

「でも、相手もいないですから」

投げやりな気分で言い捨てると、立花さんはうんうんとうなずいて言った。

「だったら『私の彦星様が現れますように』とか書けばいいじゃない」

書けるか、恥ずかしい。とは言えないので質問返しにしてみる。

「立花さんは何を書いたんですか」

「僕？　僕はねー、ヒ・ミ・ツ！」

何それ。ていうか笹を見ればわかるっつーの。

「じゃあ、私も秘密です」

本当は書くことが思いつかないだけなのに、ちょっと意地悪してみた。すると立花さんは人差し指で私のほっぺたを突つく。

「もう、しょうがないなー。秘密は女の子の特権だしね」

……いちいち語尾にハートマークがついてるような気がするのは、私だけなんだろうか。

＊

午後、桜井さんが来たときの第一声は失礼極まりないものだった。

「梅本さん、顔違う！」

バックヤードで帰り支度をしながら、私はもう一度鏡を覗き込む。朝から夕方までかなりの時間が経過しているというのに、五月さんのメイクは崩れていない。

「一階の化粧品売り場の五月さんって人がやってくれたんだ。椿店長は魔女って呼んでたけど、綺麗な人だったよ」

「うーん、三分でこれって確かに魔女のテクかも。いいなー、あたしも習いたい」

年が近いせいか、桜井さんと私は裏に入ると夕メロで話すようになっている。

「でも桜井さん、今のままでも充分可愛くメイクできてるよ」

ていうか、彼女の場合元の顔が良いのだからメイクの必要性なんて感じないんだけど。

しかし彼女は口を尖《とが》らせて、私の目元をまじまじと見つめた。

「ホント言うと、あたし不器用なんだよね。だからアイメイクとか超時間かかるの。あと、どうしてもギャルメイクっぽくなるから、こういう上品なの習いたいなあって」

「桜井さんて、ギャルだったの？」

冗談めかしてたずねると、彼女は苦笑する。

「ギャルじゃないけど、それっぽいファッションだったんだよね。今思うと恥ずかしいよー」

ファッションに合わせてメイクを変えるなんてこと、私は考えたこともなかったな。でも会社に就職した友達なんかは、好き嫌いにかかわらず当然のように毎日メイクをしてるんだろう。

それが社会人の礼儀ってやつなのかな。でも、そんな礼儀私は嫌だな。だって綺麗に見せることと仕事は別物じゃないの？　ていうか、男の人って全員すっぴんじゃん。なんで女の人だけがお化粧をしなきゃいけないわけ？

こっそり憤慨しながら一日を過ごしたものの、家に帰るとこのメイクはやはり賞賛の嵐を呼んだ。

「ちょっと、杏子！　何したの⁉」

何って、人殺しだよとか答えれば満足？

「お化粧売り場の人にメイクしてもらっただけ」

「え、それって東京百貨店の一階？」

「そうだけど」

冷蔵庫から麦茶を出す私の顔を、お母さんはまじまじと見つめる。

「……今度お母さん、そこに買いに行こうかしら」

「へ？」

　私は耳を疑った。自慢じゃないがうちのお母さんの化粧品に対する判断基準は、質より値段。しかも購入方法は通販一本やりで、デパートの化粧品売り場なんか一生行かないタイプなのだ。

「だってそこの化粧品を買えば、こんなに変われるってことでしょ」

「え、でも化粧品だけじゃ」

「わかってるわよう。でもそこで買えば、あんたの顔を作ってくれた人がメイクのコツとか教えてくれると思って」

　ああ、そうか。私はここで初めて、化粧品売り場のお姉さんたちの存在意義を知った。

あの人たちは、自分自身のテクニックが商品でもあるんだ。

あの人みたいに綺麗になりたい、あの人ならもっと綺麗にしてくれる。そういった女性の願いを汲《く》みつつ、私のような歩く広告塔を作り上げる。

(無駄にメイクしてるわけじゃないんだなあ)

　仕事だと割り切れば、あのフロアもそんなに怖くないかもしれない。私はちょうど帰ってきた兄にも驚かれながら、自分の部屋へと向かった。

＊

七月初旬はばたばたと過ぎ、ついにお中元まっただ中の季節がやってきた。今日は大学が休みに入った桜井さんも、一緒に店に入る。

「忙しいですけど、やりがいのある月でもあります。店頭では配送に目を奪われがちですが、暑い時期なので普段のお菓子もお日持ちなどには充分気をつけて下さい」

椿店長の言葉に全員がうなずく。九時五十五分。私たちは万全の態勢でカウンターに立った。開店の音楽が流れ、地下通路から食品フロア直結の入り口が開くと同時に、数人のお客さまがやってくる。

「これ、リスト。予算三千円でお願いしたいんだけど」

握りしめた紙を差し出して、おじさんがカウンターに張りつく。

「はい。三千円でしたらこちらとこちらがございますけど」

「ああ、それでいい」

私が喋るのを遮って、おじさんは最初に示した葛きりを指さす。

「なんでもいいんだ。とにかく三千円のやつが届けば」

「かしこまりました。では配送伝票にご記入をお願いいたします」

ちょっとむっとしながらも、私は笑顔で宅配便の伝票を出した。なのにおじさんは、ペンを取ろうとしない。

「あの……？」

「早く書いてくれ」

一瞬、聞き間違えたのかと思った。しかしおじさんは苛ついたように続ける。

「ほら、早く書いて会計してくれ。リストを作ってきてやったんだから」

作ってきてやった？　私はカウンターに放り出された紙を見つめた。二十人分の住所録。

そしてみつ屋は基本的に、配送伝票は手先の不自由なお客さまを除き、お客さま自身に書いてもらっている。それにそもそも二十人分なんて、すぐには書けない。

（どうするべき……？）

「何やってんだ」

おじさんの言葉に、私は辺りを見回す。椿店長は生菓子を箱に入れているし、立花さんは配送のお客さまの相手をしている。桜井さんは何やらレジを打っているし、声をかけられる状態じゃない。

とりあえず、書くしかないのだろうか。私は混乱したまま配送伝票を取り出し、人数分の枚数を数えだした。するとおじさんはさらに声を荒らげる。

「ちんたら数えてないで、上から書いていったらいいだろうが！」

（だったら自分で書いてよっ！）

私は混乱したまま、一枚目に住所を書き込んでゆく。しかし二行目に差しかかったところで、重大なことに気がついた。配送伝票を、何枚か重ねたまま書いてしまっているのだ。これではカーボンが写ってしまい、下の伝票が無駄になってしまう。

慌てて伝票を引き抜くと、数枚が床に落ちた。それを拾っているところに、さらにおじさんの声が飛ぶ。

「おい。床に落ちた伝票で書くなよ！」

そんなこと、言われなくたってしないよ！　私は半泣きで伝票を拾う。

そのとき、私の横に滑り込んできた人物がいた。

「桜井さん……」

「大丈夫。あんなおっさん敵じゃないって」

カウンターの陰にかがんだまま、小声で囁《ささや》く。

「行くよ」

そう言って勢いよく立ち上がった。突然現れた桜井さんにおじさんは驚いたようで、軽く後じさる。

「お客さま、お急ぎのようなので私も手伝わせてもらいます」

にっこり。そして今拾ったばかりの伝票をおじさんの正面に、正拳突きもかくやという勢いで突き出す。おじさんは、その風圧に思わず身をすくめた。

「こちらが、床に落ちた伝票です。破棄した証拠に、目の前で失礼します」

そう宣言するやいなや、びりびりと音を立てて両手で引き裂きはじめる。

「ほら、梅本さんも」

うながされるまま、私も伝票を破く。しかし桜井さんの破き方は尋常ではなく、まるでシュレッダーにかけたような細さになるまで執拗《しつよう》に引き裂いている。

「お、おい」

「個人情報の流出が怖いので、念には念を入れております」

再びにっこり。そしてあらためて二十枚の伝票をつかみ出すと、お客さまの前に置いた。

「お急ぎのところ、本当に失礼しました。でも手は多い方が早いと思います。私と彼女が手分けして宛先を書いていきますから、お客さまはご自身のお名前とご住所を書いていただけないでしょうか？」

「いや、その」

おじさんが最後の抵抗を見せたそのとき、桜井さんはぐっと身を乗り出しておじさんの目を見つめる。

「ご・協・力、いただけますね？」

「あ、ああ」

「ありがとうございます！　すごく助かります！」

勝負あった。そんな言葉が頭に浮かんだ。


「さっきはありがとうございました」

バックヤードに在庫を取りに行った桜井さんを追いかけて、私は声をかける。

「ああ、気にしないで。それよりあいつ、ムカつくオヤジだった！」

お菓子の箱を持って振り返った彼女は、でもすっとしたね、と笑った。

「デパートって、ああいう人も多いのかな」

この先の繁忙期を乗り切れるのか不安になった私は、ふと弱音を漏らす。

「うん、理不尽バカはたまにいるかな。でも気にしない方がいいよ。立花さんみたいに割り切って相手して、手に余るようだったら店長に言えばいいし」

「そっか」

　まあ、普通にするのが一番ってことかな。しかし次の瞬間、桜井さんの声が一段低くなった。

「でも、それでもムカついたときは……」

「え？」

「あたしに言って。後つけてギッタギタにシメてやるから」

はい？　今、その可愛い顔で何と？　空耳かな？

「なんちゃって」

ぺろりと舌を出して、桜井さんは笑う。

「なんとなくバレちゃうと思うから先に言っておくけど、実はあたし元ヤンなんだ」

「え？　えええ？」

　元ヤン、ってことはあれだ。ノーヘルで原チャリに乗ってぶいぶいいわしたり、金髪で強烈なメイクをしたり、後はその、カツアゲとかしたり。

（……それを桜井さんが⁉）

　体ちっちゃいし、小顔だし、どう想像力を働かせてみても実像が思い浮かばない。混乱する私に向かって、桜井さんは携帯電話の画面を開いてみせた。

「これがその頃のあたし。超アタマ悪そうでしょ」

画面の中からVサインをしていたのは、思いっきりギャルメイクをし過ぎて、もはや元の顔がわからなくなった女の子。しかも服は紫のタンクトップに、パンツが見えそうなくらい短いデニムのスカート。そして当然足下はピンヒールの超ロングブーツ。

（うわあ……）

「でもまあ、ちゃんと更生して今は普通の女子大生だから安心してよ。ただ、言葉遣いだけはどうしてもおかしくなっちゃうときがあるから、そのときはよろしくね」

「あ、はい」

そうか。だから桜井さんは接客用の言葉をメモして持っているんだ。私がうなずくと、彼女はにこりと笑う。

「必要以上に怖がらないし、呑み込みが早くて冷静。確かに梅本さんって、椿店長が認めただけのことはあるね」

「あ、ありがとう」

てかそれって、椿店長もそっち寄りの人ってこと？　だからあんなに豹変《ひょうへん》キャラなの？　その部分の謎を残したまま、桜井さんは歩き出した。私は慌ててその後を追う。

乙女の次は、元ヤンか。

＊

繁忙期。人生で初めて使う大人の言葉だけど、私はいきなり思いっきり体感中だ。

注文を受けて伝票を書いて、お会計をして在庫を確認、そして梱包《こんぽう》する。さらに数が揃ったらそれを台車に乗せて、配送所のある階に降りてゆく。そこで受付をしてもらった後、地方別の巨大なワゴンに振り分ける。

東京百貨店は数種類の会社と契約しているので、荷物もその理由によって違う受付になる。たとえば東京というくらいだから、二十三区内と近隣の県は安近短がモットーのハチさん便。その他の地域はクロネコさんだけど、さらに超エクスプレス便というのがある。

超エクスプレスといえば聞こえはいいが、その実この受付は恐るべきことに、社員さんによる『直のお届け』を示しているのだ。理由は超お得意様であったり、あるいは配送に手違いがあった場合などさまざま。だけどここに荷物が置いてあると、従業員は皆軽く目をふせて通り過ぎる。御愁傷様《ごしゅうしょうさま》。そんな無言のメッセージを残しつつ。

（それにしても、これじゃお菓子屋さんなんだか宅配便の人なんだかわからないなあ）

そんなことを思いながら、私は何回も店と配送所を往復した。

「失礼しまーす！　台車通りまーす！」

声を出して、お客さんで溢れる通路をゆっくりと進む。

「失礼しまーす！　失礼しまーす！」

それでもどいてくれない人や、言葉の通じない幼児を連れている人には、何度でも叫ぶ。

ようやく辿り着いた貨物専用のエレベーターは、一基しかないせいかなかなか来ない。それを待っている間、同じように荷物を積んだ他の店の人と話をする。

「あなたみつ屋さん？」

「はい」

「あそこのお菓子、ちょっと高いけどおいしいわよね。私、たまに買うのよ」

そう言ってエプロンの紐を結び直していたのは、洋菓子店の人。

「もううんざりよ。アイスなんてくそくらえだわ」

重いアイスの箱を運び疲れたジェラート屋さんは、一人でちょっとキレかけてた。

「こっちもいっそ、落としてやろうかな」

高級ワインの箱を持ち上げてつぶやいていたのは、お酒売り場の社員さん。

「もしかしてそれ、超エクスプレスですか」

そうたずねると、彼はがっくりと肩を落として力ない笑みを浮かべた。

こんなことがなければ話さなかったであろう人たちと、妙な一体感で毎日つながってい る。戦友、なんて言葉が似合うような、そんな不思議な仲間意識。それがなんだか面白くて、私はお中元が少し好きになった。

毎日くたくたになるまで動き回って、家に帰ったとたんバタンキュー。

（でもこれが、案外嫌じゃないんだよねえ）

私は帰りのロッカールームで、ふと笑う。あのおじさんみたいに嫌な人はその後も何人か現れたけど、桜井さんの教えに従っていたら乗り切れた。中には自分で持ってきた品を同封しろとか、配送代をタダにしろとか言う困ったちゃんもいた。けれどこちらが落ち着いて普通の対応をしていれば、問題には発展しない。

（ま、本当にヤバいお客さんにはフロア長が出てくるんだけど）

さらに私は、繁忙期ならではの楽しみも知ってしまった。それはこの従業員フロアに出る例のサービスワゴン。疲れまくった従業員を癒《いや》すためか、お中元の時期は雑貨や食品がいつもよりさらに格安で売られているのだ。それで私もつい、コロッケやシュークリームの詰め合わせパックなんかを買ってしまったわけなんだけど。

（要するに、お祭りなんだな）

お中元はお客さんだけでなく、売る側にとっても非日常の一大事。どうせやるなら楽しんでいこうという姿勢がこのデパートにはある。

＊

八月初旬。お中元が終わると、今度は夏休みがやってくる。そして私にとっては初めての、長い休みがない夏。もちろん申請すればつながった休みをもらうことは出来たのだが、春にずっと休んでいたので、私はこのまま普通に働く事にした。

去年の今頃は、友達とプールに行ったりカラオケに行ったり、のんびり楽しく過ごしていたっけな。皆は今頃どうしてるのかな。クラブの合宿に行ったり、彼氏と旅行に行ったりしてるのかな。そんなことをしみじみと考えると気分が下向きになりそうだったので、私は顔を上げて食品フロアを見渡す。

洋菓子店のお姉さんは今日もタルトを切り分けているし、ジェラート屋の女の子は延々とヘラでアイスを積み上げている。うん、ここの人たちは皆働いてる。そう思うと、ふっと気持ちが楽になった。

子供連れや学生の姿が増え、意味もなく食品フロアが混み合いだすと夏休みらしさはぐっと高まってくる。

その場で食べられるコロッケやアイスには行列ができるものの、和菓子は若者受けしないので比較的ゆとりがある。人気のデリや有名洋菓子店をぼんやり眺めていた私は、見覚えのあるお客さんに声をかけられた。

「あの、七夕のお菓子が欲しいんですけど」

「あ、先月の」

『星合』を買っていった女の子。それを思い出したので、上生菓子のコーナーに移動して、『鵲』を紹介する。『鵲』は白いういろう餡の上に、鳥と星の焼き印が水墨画のようにつけられた地味ながら格好の良いお菓子だ。

「こちらが『鵲』。今度は、橋を架けて織り姫と彦星を無事に会わせることが出来た後、一休みしているカササギの姿を表しています」

「この二つの星は、出会った後の二人なのね」

「はい。今年のみつ屋は七夕の直前と直後をお菓子にしているんです」

実はこのお菓子を見たとき、私はちょっと嬉しくなった。カササギと一緒に、誰かにお疲れ様、とねぎらわれているような気がしたのだ。

「素敵。ところでこれ、持ち歩きはどれくらいできるかしら」

「そうですね、炎天下に放置しない限りはそれなりに大丈夫ですよ」

もともと和菓子というのは冷蔵庫のない時代に作られていたものだから、ケーキよりはずっと腐りにくい。むしろ本当の敵は、乾燥による表面のひび割れなのだ。

「乗るまでに一時間半。移動の時間も含めると、六時間以上かかるんだけど、どう？」

「うーん……」

自分では判断しかねる時間だったので、私は和菓子の生き字引たる立花さんを呼んだ。

「六時間、は厳しいですねえ。腐るとは言いませんが、良い状態で召し上がっていただけるとも断言できません」

それを聞いた彼女は、いきなり悲しそうな表情をする。

「どうしても一緒に食べたい人がいるんです。三時間は完璧に冷房の効いた場所にいるから大丈夫だとして、後はどうやって乗り切ればいいと思いますか」

「だとするとやっぱり、ドライアイスですかねえ」

首をかしげた立花さんの横から、手の空いた椿店長がすっと現れた。

「私は保冷剤がいいと思いますよ」

「なぜですか」

確かに保冷剤はドライアイスより長持ちするけど、温度は高めだ。だから本気で冷やしておきたい生ものには、ドライアイスを使用するケースが多い。

「だってお客さまは、飛行機に乗られるんでしょう」

「えっ？」

私と立花さんとお客さんは、同時に同じ声を上げた。だって、誰もそんなことは言っていないのに。すると椿店長は、楽しそうに説明をはじめる。

「もしこれが北海道や仙台だったら、地元の和菓子屋さんに七夕モチーフのお菓子が存在しているはずです。ということは、お客さまがこれから向かうのはそういった地域ではない。さらに三時間完璧に冷房が効いているということは、列車やバス、飛行機などに乗っている時間だと思うのですが」

「でもなんで飛行機だと？」

彼女が不思議そうにたずねた。

「たとえばまず移動手段が新幹線だと仮定すると、三時間あれば仙台や京都など、旧暦の七夕菓子が手に入る地域まで移動できてしまいます。そうすると、あえて東京で入手しておく必要はありません」

確かに彼女は、七夕にこだわっているだけで、みつ屋のお菓子であることにこだわってはいない。

「さらに他の列車やバスで三時間圏内だった場合は、ご自分で運ばれるより宅配便のクール便を使った方がいっそ安全で早いと思います。今は朝出せば、夜には到着するサービスもありますからね。以上のことから考えると、お客さまが向かうのはクール便の配達範囲外ではないかと考えました」

「なるほど、離島や沖縄ならば三時間かかってもおかしくはないですね」

しかし椿店長は、立花さんの意見に首を振った。

「お客さまが乗るのは、主要ターミナルであるこの場所から一時間はかかる場所から発着する乗り物ですよ」

「……もしかして、国際線ですか！」

私が声を上げると、お客さんは驚いたように口に手を当てる。

「当たりです。すごいのね、このお店の皆さん」

「三時間で行くことの出来る国で、このお菓子を考えると中華圏の国が妥当でしょうか」

椿店長の質問に、彼女はこくりとうなずいた。

「はい。台湾なんです」

「あちらでは旧暦の七夕を祝うと、何かの本で読んだことがあります。それに間に合わせたいと思ってらっしゃるんですよね？」

「ええ、彼がいるんです。以前日本に留学してた人なんですけど、その期間が終わったから向こうに帰っちゃって。でも日本の七夕だと時期が合わないから、この間のお菓子は一人で食べたんですよ」

それを聞いて、私は納得した。かなり遠めの遠距離恋愛。まさに織り姫と彦星だ。

「だから、八月のお菓子を教えてもらったとき、これだって思いました。来年もまた会いたいって気持ちを伝えるには、ぴったりかなって」

「そうなんですかー」

しなを作るような立花さんの声。まずい。この話は彼の乙女心をきゅんきゅんさせているらしい。私は必死で話題を現実的な方向へと引き戻した。

「じゃあ、台湾までお菓子を運ぶと考えればいいわけですね」

「そうなんです」

「だったら確かにドライアイスはＮＧですね。気化して持たないし、機内に持ち込むにも制限があります」

販売員の顔に戻った立花さんは、そう言って銀色の保冷袋を出した。

「この場合、椿店長の言うように保冷剤が向いているでしょうね。ただ、個人的なアドバイスとして申し上げますと、お客さまはまず当店の九階にあるスポーツ用品コーナーに行かれるべきだと思います」

「スポーツ用品、ですか」

「はい。そこで釣り用の保冷ケースをお求めいただければ完璧かと」

そうか。魚を保存するケースなら、密閉も出来るし袋よりは断然もつ。激しくうなずく彼女に、椿店長がうなずき返す。

「保冷袋にお菓子と保冷剤を入れた後、さらに保冷ケースの中に入れ、入れられるだけの保冷剤を入れましょう。台湾に着いてそれが溶けていたら、最後はよく冷えた缶ジュースと入れ替えればいいと思いますよ」

「わかりました。私、とりあえず九階に行ってきます！」

彼女は嬉しそうに会釈をすると、エレベーターの方に駆け出して行った。その後ろ姿を見送りながら、立花さんがうっとりとつぶやく。

「頑張れ、織り姫さん」

その隣で椿店長は、わざとらしく両手で体をこすった。

「……寒っ！」

＊

さらに旧暦の七夕も過ぎると、いよいよ社会人の夏休みがやってくる。食品フロアにとっては、この夏三回目の波だ。そして今度は帰省用の手みやげとしての需要が増えるから、和菓子屋もそれなりに忙しくなる。

とはいえ、やはり開店直後とお昼時はちょっと暇だ。私が軽くて日持ちのするあられの詰め合わせを品出ししていると、おなじみのお客さんがやってきた。

「こんにちは」

「あ、いらっしゃいませ」

「ここに入ると涼しくていいわね」

そう言ってショーケースを覗き込むのは、先月お中元を申し込んでくれたおばあちゃんだ。あの日以来、みつ屋を気に入ってくれたのか一週間に一度のペースで来店してくれている。

「いらっしゃいませ、杉山《すぎやま》さま」

「ご来店ありがとうございます！」

奥でレジチェックをしていた椿店長と桜井さんも振り返って挨拶した。

「あらあら、そんな皆さんで」

杉山様は、口元に手を当ててふふふと笑う。いつも感じのいいこのおばあちゃんは、私たちの間でちょっとしたアイドルになっている。お名前を知っているのは、お中元を申し込んで下さったから。かなりのお年なのに背すじがぴんと伸びて、笑顔が柔らかいのが素敵だ。

そしてちょっと面白いのは、そのファッション。杉山様はなぜかいつも同じ色合わせの服を着ている。それは黄色と白、そして緑と白だ。センスがいいので不自然ではないのだが、気づくと少し不思議だった。立花さんなどはそれを見てバックヤードで勝手に『今日の杉山様占い』を開催しているが、もちろん他の誰もそれで運勢を決めようとはしない。

だって黄色なら『ラッキー♡』で緑なら『ハッピー♡』だそうだから。

ちなみに今日の杉山様は白いブラウスにモスグリーンのスカートで、夏らしくさわやかだ。

「八月のお菓子は『清流』、『鵲』、『蓮』だったわね。この間は『清流』をいただいたから、今日は『蓮』にするわ」

「はい。お二つですよね」

私は箱を用意して微笑む。杉山様は、いつも上生菓子を二つと『松風』を一つ買っていかれるのだ。けれど杉山様は首を振る。

「いいえ、三つでお願い。明日は年に一度だけいらっしゃる方がいるのよ」

年に一度だけ。私はそれを聞いて、七夕を思い出す。でも、七日は過ぎて今日は十三日だ。

「では『松風』は」

「そちらは一つお願いするわ」

よっぽど『松風』が好きなんだな。私はくすりと笑いながら、竹製のトングでしっとりとした生地を摑んだ。『松風』はちょっとカステラに似た焼き菓子で、表面に黒胡麻《ごま》が振ってある。店によってはカリカリに焼いた甘いおせんべいみたいなものだったり、味噌《みそ》を焼き込んだ『味噌松風』だったりするらしいが、みつ屋のはしっとりねっちりした食べごたえのある和風のケーキだ。

しかしそんな私の手を、椿店長が止める。その顔は、なぜか少し悲しそうに見えた。

「ちょっと待って」

「え？　あ、はい」

「杉山さま」

カウンターの端から外に出た椿店長は、杉山様の隣に立って深く頭を下げた。

「大変個人的なことに立ち入ることを、お許しいただけるでしょうか」

「あら、何かしら」

「差し出がましいことですが、今月は『松風』を買われる必要はないのではないでしょうか」

その言葉に、私と桜井さんは首をかしげた。もしかして食べすぎでお体に悪いとか、そんな事情でもあるのだろうか。

「なんで、そう思われるのかしら」

口元に微笑みをたたえたまま、杉山様も首をかしげる。すると椿店長は真剣な表情で告げる。

「今が、八月だからです」

八月と『松風』の間に、私の知らない意味があるんだろうか。しかし桜井さんも同じように、不思議そうな顔をしている。

「八月……」

「そして今日は十三日。杉山様はおそらくお帰りになった後、お迎えの用意をされますよね。その後でも、『松風』は必要でしょうか」

椿店長の言葉を聞くにつれ、杉山様の表情がゆっくりと変わった。何かをこらえるように眉間に皺を寄せて、ハンドバッグの持ち手を握りしめる。そして私もまた、気づいた。そう、今日は我が家でも同じことをするのだ。

「椿さん、とおっしゃったかしら」

「はい」

「私、そんなに悲しそうな顔をしていたの」

全然。いつもの笑顔で、優しい雰囲気でしたよ。私は心の中でつぶやく。

「いいえ。お召し物と、本日のご注文からもしかしてと思いました」

お召し物、ということはやはり服の色に何か秘密があったのだろう。

「そう……」

肩を落とした杉山様に、椿店長は静かに語りかける。

「私にも、戻ってきてほしい人がいます」

はっとしたように杉山様が顔を上げ、椿店長を見つめた。

「だからこれからの数日は、久しぶりのデートだと思うことにしているんですよ」

「久しぶりの、デート……」

「そう。一年に一度しか会えないんだから、今の若者が言うところの遠距離恋愛ですよね。

だったらせめて、このときぐらいは一緒に楽しく過ごしたい。そう思うのは、おかしいでしょうか」

いいえ。いいえ。そうつぶやきながら、杉山様は震える手でハンドバッグからハンカチを取り出す。

「あなたの言う通りだわ。一年ぶりに会うのに、あの人にこんな顔を見せるわけにはいかないわよね」

目元にハンカチをあてて、杉山様は何度もうなずいた。その背中を、椿店長はそっと支える。

「『松風』はもう買わないわ。そのかわり、『鵲』を入れてちょうだい」

「かしこまりました」

深々と頭を下げて、椿店長はカウンターの中に戻ってきた。そして私が詰めかけていた箱に、『鵲』を追加する。

「『蓮』を三つに、『鵲』を一つ。以上でよろしいでしょうか」

立ち上がった椿店長に、杉山様は優しく微笑んだ。

「お会計をお願いするわ」

また来週もお邪魔させてもらいます。そう言い残して、杉山様は帰っていった。残された私と桜井さんは頭の中が疑問符だらけだったけど、その後午前のラッシュタイムがやってきたのでそれを聞くチャンスはなかった。

＊

やがてお昼が近づき、一段落ついたところで私たちは椿店長にたずねる。

「さっきの、杉山様のことですけど……」

「ああ、そう言えば説明してなかったわね。でもお客さまの個人情報に関わることだから、一人ずつバックヤードに来てもらえるかしら」

まずは休憩が先の梅本さん。そう呼ばれて私は店長と裏に回った。

「さてと」

折り畳み椅子に腰かけて、私は椿店長と向き合う。

「梅本さんは勘がいいから、少しはわかってるんでしょう」

「杉山様は、大切な方を亡くされているんですよね」

椿店長は、静かにうなずいた。

「今日が八月十三日だって聞いたとき、そう思いました。十三日はお盆の初日だから、お迎え火をたく日です。そして明日来客があって、お出しするのが蓮のお菓子だということは、相手はきっとお坊さんですよね」

そう。よく考えてみれば、杉山様は先月は百合の形のお菓子を買っている。蓮に百合、どちらも葬儀によく使われるモチーフではないか。和菓子が日常的に必要とされる場所の一つに、お仏壇があることを私はすっかり忘れていた。

「ご住職と杉山様とお仏壇の分。それで『蓮』は三つ必要だったと」

「はい」

そしてお迎え火。私の家は昔ながらの商店街にあるから、この季節にはあちこちの玄関で細い煙が立ち上る。私も小さい頃から意味もわからずそれを飛び越えてきたけど、今はそれが亡くなった人のための目印だということを知っている。

お盆は、一年に一度、死者がその家に帰ってくる日。つまり、会いたくても会えない大切な人とデートできる日でもあるのだ。

「でもわからないのは服です。あの組み合わせには、何か意味があるんですか」

私がたずねると、椿店長はバックヤードに常備してあるみつ屋の総合パンフレットを開いた。そして『不祝儀』の項を指さす。そこには、黄色と白のおまんじゅうが引き出物として載っていた。

「黄色と白、そして緑と白の組み合わせは、和菓子の世界では不祝儀の色としてとらえられているの」

「そうなんですか……」

全身を黒で包み込んでいれば、私にもわかったかもしれない。けれど杉山様は、目立たないようそっと喪に服すことを選んだのだろう。

『松風』の語源については、ここを読めばわかるわ」

パソコンのウィンドウを開いて、椿店長は立ち上がる。

「じゃあ一回お店に戻るから、読み終わったら桜井さんと交代してね」

「はい」

私は画面をスクロールして、『松風』の名前の由来を読む。

『語源は、「松風の音ばかりで浦（裏）がさびしい」という風情からきている。表面に芥子《けし》の実や黒胡麻を散らし、裏側には何もないことから、連想されたのだろう』

松風ばかりで、裏が寂しい。私はそれを端折《はしょ》って発音してみた。

「まつばかりで、さびしい」

待つばかりで、寂しい。それに気づいた瞬間、杉山様の優しそうな笑顔が頭の中に浮かんだ。

「……！」

会いたいと思う気持ち。帰ってきてほしいと願う気持ち。七夕と同じようでいて、決定的に違うこの気持ち。杉山様はお仏壇にお菓子を上げることによって、大切な人に気持ちを伝えていたのだ。待つばかりで、寂しいわ。寂しいわ。寂しいわ。

私は口を押さえて、感情の波を必死でやり過ごす。そしてふわりと浮かんできた涙を、必死にこぼさないようにした。椿店長も、そうなんだ。会いたくても会えない人を、心の中に抱えているんだ。私は大きく息を吸うと、足にぐっと力を込めて椅子から立ち上がる。

その後、私と入れ替わりにバックヤードへ行った桜井さんは、椿店長が戻ってからも中々姿を現さなかった。そしてその間、店長もかくやというほどの雄叫びが断続的に響いていたことをつけ加えておく。

＊

翌日、事の経緯を最後に聞かされた立花さんは身をよじって悔しがった。

「もう！　どうしてそういういい場面に呼んでくれなかったわけ⁉」

「だって立花さん、お休みだったじゃないですか」

「そんなの関係ないもん！」

いい、次そんなことがあったらすぐにメールしてよ？　そう言いながら、彼は勝手に私の携帯電話に向けて赤外線を発信している。しょうがないので受信にすると、『立花早太郎♡』と送られてきた。

通信の終わった携帯電話をポケットに入れようとすると、指先にかさりと触るものがある。取り出してみると、先月渡されたまま忘れていた短冊だった。

（あらら）

もう旧暦の七夕も過ぎたので、笹はとっくに撤去されている。私は何も書いていない短冊を見つめると、皺を伸ばして私物の文庫本に挟んだ。来年は、書きたいような願いが見つかるといいな。そんなことを思いながら。

「ところでアンちゃん、魔女のメイクはもうしないの？」

「うーん、あそこまで変わるのはやっぱりどうかと」

あの日以来、私は一応最低限のお化粧をしている。けれど礼儀としてのお化粧には、いまだ納得がいっていない。

別にお化粧が嫌いなわけじゃない。ただ、誰のためにそうするかに疑問を持っているだけなんだ。いつか七夕の彼女や杉山様みたいに大切な人が出来たとき、私はきっとその人の前ではいつも綺麗にしていたいと思うだろう。最終的にはすっぴんだって見てほしいけど、でもとりあえずは現時点で最高の私を見せたい。そう、思うだろう。

「でもやっぱ女ってだけで、お化粧する義務があるのかなあ」

私がつぶやくと、立花さんは笑っていつものように私のほっぺたをつまんだ。

「和菓子とおんなじなんじゃないかなあ」

「どういうことれふか」

「真っ白なお饅頭はそのままでも可愛いけど、紅い点や焼き印をつけたらもっと可愛いでしょ」

今いち、喩《たと》えがピンとこないなあ。私が首をかしげると、立花さんはさらにふにふにとほっぺたを引っ張る。

「だーかーらー、ごってり飾ればいいってもんじゃないけど、飾る気すらないのは味気ないって話。誰もアンちゃんにギャルメイクしろなんて言ってないでしょ」

「むー……」

味気ない、か。そう言われるとなんとなくわかるような。別に私だって、質実剛健で一切の飾りを排除して生きていきたいわけじゃなし。

そして次の瞬間、ほっぺたから離れた立花さんの指が、封印すべき禁断のスポットに伸びてきた。

「アンちゃん、二の腕たぷたぷで超気持ちいいー！」

殺す。絶対に殺す。

＊

立花さんと一緒に店に出ると、入れ替わりに椿店長が休憩に入った。私はまだまだ人の多い食品フロアを見渡して、ふと思う。

椿店長はどうして、杉山様が『松風』を買うのを止めたんだろう。お盆で故人が帰ってくるから、寂しがる必要はない。そう言いたいのはわかるけど、それじゃあんまりにも他人の事情に立ち入り過ぎのような。

そのとき、カウンターの反対側で立花さんがお客さまと話す声が聞こえてきた。

「はい。当店では不祝儀のお菓子も取り扱ってございますよ」

またご不幸があったんだ。私は思わず、お客さんの顔を見る。すると意外にも若い女性が立っていた。

「そう。じゃあお願いするわ。それにしても、うちの母ったら気落ちしちゃって何も出来ないの」

娘さんが代理で色々な事をこなしているのか。それは大変だ。

「仲の良いご両親だったんですね」

「ええ。だから一周忌なのに泣いてばっかり」

胸がつきんと痛む。出会いがあれば、別れがある。それはしょうがないことと頭ではわかっていても、感情はついていかない。そう、どんなに時が流れても。

しかし次の立花さんの言葉で、私はひらめいた。

「でも、あまり悲しんでいては故人もお辛いのではないでしょうか」

「そうよね。お寺の住職にも言われたわ。現世の人間がずっと引き留めていると、お父さんは成仏できませんよって」

これだ。椿店長はきっと、杉山様にそう伝えたかったんだ。

「お母さんがずっと泣き暮らしているのを見たら、お父さんだって悲しいわよね。この一周忌が終わったら、そろそろ家の空気を変えなきゃ」

その女性は、髪を払うようにして顔を上げた。

前を見て歩いてゆくこと。そして生きてゆくこと。

生きている人間は、ずっと泣き暮らしてはいられない。それに気づかず下を向いていた杉山様に、椿店長は手を差し出したんだ。

大切な人はあなたの胸の中にいるから、その人を悲しませないで。そんな声が聞こえてきた気がした。

店長の大切な人って、誰なんだろう。

＊

私がセンチメンタルな思いに耽《ふけ》っていると、突然バックヤードから聞き覚えのある雄叫びが聞こえてきた。

「うお、やられたーっ!!」

接客の終わった立花さんと、レジ打ち中の私は無言で顔を見合わせる。

「くっそ、遅かったか！」

ガン、という音と共に叫びは止まらない。

「来年こそっ！」

私は必要以上にレジを早く打って、必要以上に大きな声でお釣りを渡した。

「ありがとうございました！　またのご利用をお待ちしておりますっ！」

やがて休憩から戻ってきた椿店長は、大きく肩で息をしていた。それを見た立花さんが、呆れたようにつぶやく。

「今度は何ですか」

椿店長はバックヤードのパソコンで株を売買するのを趣味としているのだが、相場に何かあったのだろうか。

「大暴落、とか」

私がつぶやくと椿店長は首を振る。

「違うけど、正解。捕らぬ狸《たぬき》だけど大損したって気がするわ」

そう言って一枚のメモを私たちに見せた。そこには『七夕情人節』という文字が書いてある。

「読めませんね」

立花さんが眉をひそめる。

「でもこれって、日本語じゃないような」

「そうなの！」

いきなり椿店長が肩を揺すった。

「あの台湾まで『鵲』を運んだ子、あの子にヒントは貰ってたのよ！」

「てことはこれ、台湾の言葉ですか」

「そう。調べてみたら、近年の台湾では七夕がバレンタインと同じように男女がプレゼント交換をする日になってるんですって。旧暦の日付で行われるから、年によって日は変動するらしいんだけど」

まさにサマー・バレンタイン。だから彼女は七夕にこだわっていたのか。私と立花さんは、深く納得した。しかし椿店長だけは、納得できない様子だ。

「つまり日本のバレンタインと同じで、イベントの直前はプレゼント市場が活性化するわけよ！」

あーもう、わかってたのに逃すなんて！　苦悩する椿店長は、拳を握りしめて宣言した。

「来年は絶対、七夕前の台湾会社の株を買う！」

……椿店長は前を見て歩くどころか、全速力で走ってるように思えるから、きっと大丈夫だろう。

*

そして夏につきものといえば怪談。

私は後日、ロッカールームでその噂を耳にした。

「ねえねえ、一階の化粧品コーナーにいる五月さんって人、知ってる?」

「ああ、あの綺麗な人でしょ」

うんうん、綺麗だよね。しかも格好良いし。

「でもあの人、実は○十○歳なんだってよ」

「えっ、嘘っ!!」

話している人と同じタイミングで、私も凍りつく。うそーん。

「ホント。だって同じ店の人が、免許証見たって言ってたし」

「あり得ない! てか本気で魔女だよ、それ!」

魔女。あだ名の正体はそっちだったか。ちなみに五月さんの年齢は、文字に残すと呪《のろ》われるそうなので、聞きたい人は直接私のところに来て下さい。

私は必死で笑いをこらえながら、震える手で口紅を塗る。

デパートって、本当に面白いなあ。

萩と牡丹

涼しくって気持ちいい。こないだまではタオルケットで充分だったのに、今はふわふわのお布団がないとちょっとつらい。

つまりは、秋だってことだよねえ。私は布団の中でころりと寝返りを打つ。

「杏子」

今、誰か呼んだかな。でもまだ目覚ましは鳴ってないし、いいや。ホント、涼しいからいっくらでも寝られちゃう。幸せだなあ。

「杏子、ちょっと」

体を揺さぶられて、ぼんやり目を開ける。

「……ん？」

お母さんだ。いつもは自分の目覚ましで起きているから、こうして起こされるのは久しぶり。何か緊急の用事でもあるんだろうか。

「何、お母さん」

「何じゃないわよ。あんた、もう出る時間じゃないの」

「え？」

のろのろと枕元の目覚ましを見ようとすると、手が文庫本に触れる。そうそう、昨日の夜はこれが面白くてつい夜更かししちゃったんだった。犯人がすごく怖かったから、捕まるまで読まないと安心して眠れないと思って。でもラスト、皆助かってよかったなあ。ホントすっとした。

そんなことを考えながら、時計を顔の前に持ってくる。

「……んん？」

は、ち、じ。見間違いだろうか。時計の針がいつもより一時間早く進んでいるように思えるんだけど。私がぼんやりと首をかしげていると、駄目押しのようにお母さんが読み上げた。

「だから、もう八時だって言ってるでしょ！　遅刻よ遅刻！」

「うそーっ!!」

私は跳ね起きて、時計を二度見する。いつ止めたんだろう。全然気づかなかった。

「鳴ってたから、起きてくると思ったのに」

「だったらもっと早く起こしてよー！」

理不尽な要求だとは思いつつも、寝坊のお約束的な台詞をぶつけてしまう。とはいえ学校じゃないんだから、遅刻なんてできない。

いつも最低限の人数で回している店は、一人が遅れたら後の人のお昼がどんどんずれてゆく。それに私が行かなければ、朝一の売り場が椿店長一人になってしまう。

「杏子、パンいる？」

「ごめん！　いらない」

どうせ後で制服に着替えるんだと自分に言い聞かせて、手近にあったものすごく適当な服を身に着ける。デニムに長袖Tシャツ、上に厚手のパーカーを羽織ればザ・ご近所ファッションの出来上がり。

メイクは着いてからすることにして、とにかく家を飛び出した。駅までの道を走りながら、ふとパンをくわえてくればよかったかなと思う。

だってほら、マンガの中ではよくあるじゃない。主人公が曲がり角でぶつかって恋に落ちるのは、「遅刻しちゃう！」なんて言いながら食パンをくわえて走ってきた女の子なんでしょ？

あ。でもそれってきゃしゃな体型の女の子限定か。私が全力でぶつかったら、きっと相手も尻餅とかついちゃうだろうし。

ラブコメとは、とんと縁のない人生。でもまあ今はとにかく走らなきゃ。

＊

お腹へった。

ロッカーの前で慌ただしく口紅を塗りながら、私は時計を見た。時間は八時五十分。お昼にはまだまだ遠い。ていうかそもそも、朝ご飯を食べ損なった自分が悪いんだけど。

「消防訓練？」

なんとか間に合って肩で息をする私に、椿店長は笑顔でうなずく。

「ええ。今日は秋の火災予防運動の一環で、各店から一名ずつ訓練に出ないといけないの。それを梅本さんにお願いしたいんだけど」

ほんの二十分程度だし、開店前に戻って来られるから。そう言われて私は従業員用のエレベーターに乗り、社員食堂のある階に向かった。

「はーい。消防訓練に参加される方は、この紙にサインをしてから外に出て下さーい」

テラスへと続くガラス扉の前で、東京百貨店の社員さんらしき男性がファイルを持って立っている。私はそこに出来た列に並び、店名を申告した。

「何階の何さん？」

「地下一階食品売り場の『みつ屋』です」

「えーと、みつ屋さんね。ああ、あったあった」

じゃあここにサインして下さい。そう言われて、自分の名前を書き込む。

「はい。じゃあ外に出て、消防署の方の指示に従って下さい」

開けたままになっている扉から外に出ると、涼しい空気がすっと体を包んだ。社員食堂があるのは、ビルの八階と九階の間。高い場所にある空中庭園は、普段は皆の休憩広場として使われている。近くに公園もなく昼休みに外へ出る余裕もない私たちにとって、ここは貴重なリラックス空間だ。

八階と九階の間なんて、最初に聞いたときは「忍者の隠し部屋？」とか思ったけれど、要するにお客さんには表示されない階もあるということ。だからこの階に行くには、従業員専用のエレベーターを使わないといけない。地下の従業員入り口といい、この建物はいちいちダンジョンっぽい気がするのは私だけだろうか。

「皆さん揃われましたかー。そろそろはじめさせていただきますので、後ろの人はもうちょっと前に出て下さい」

紺色のつなぎを着た消防署のおじさんが、広場の中心でおいでおいでをする。けれど集まった人々は薄笑いを浮かべてちょっと輪を狭めるだけ。まるで学校の授業のときみたいだ。

「はい。じゃあこれからお店の防災に関してお話をして、その後実演に入ります」

おじさんはそんな人たちには慣れっこのようで、さくさくと話を進める。いわく、店の通路には物を置かないこと。避難経路は覚えておくこと。消火器の位置は確認しておくこと。

聞かなくても知っているような説明が続くので、私はちょっとだけ飽きてきた。だってまだ眠いし、お腹もすいてるし。

「特に地下にいる方は、非常灯のチェックを忘れないで下さい」

地下。私ははっとして顔を上げる。そうか、電気が切れたら窓のないデパ地下は真っ暗なんだ。地震のときなんか注意しないと。

「では消火器の実演に入ります。皆さん、ちゃんと見てて下さいねー」

おじさんの号令で、消防士らしい制服を着たお兄さんが二人、目の前に出てきた。一人は金属製のトレイの上に小さな火をおこし、もう一人がこちらに向かって消火器を見せる。

「もし自分の近くで火を発見したら、まずはこのピンを抜いてー」

言いながら、黄色いプラスチックを引き抜く。

「で、目標に向かってしっかり狙いを定めるわけですが、誰か代表してやっていただきましょうか。やりたい人、いますかー？」

全員が、ちらちらと顔を見合わせた。皆適当に選ばれた上、横の繋《つな》がりはゼロに等しい。だから誰かを推薦することはない。

「んー？　希望者がいらっしゃらないようでしたら、こちらから指名させていただきますよー」

おじさんが参加者を見渡した。皆、選ばれないように目を合わせないように、そらしている。私だって当たりたくはないけれど、でも全員がそっちを見ないっていうのも悪い気がして、ついおじさんの顔を見返してしまう。

「お。じゃあそこの黒いエプロンを着けたお嬢さん」

やっぱり、見なきゃよかった。軽い後悔と共に、私は一歩前に出た。

「はいここ持って。火を見て。構えて。はい放射！」

流れ作業のように消火剤を撒《ま》くと、案外あっけなく火は消える。

「はいよくできました。というわけで、いざというときは皆さんも彼女のように落ち着いて行動して下さいねー」

ぱちぱちぱち。ゆるい拍手のあと、おじさんはそのまま話を続けた。私は戻るタイミングを逸して、微妙な笑顔で隣に立っている。

「えーと、それじゃ……」

おじさんが何やら書類を覗き込んで、つかの間沈黙が落ちた。やっと終わりかな。そう思った次の瞬間、私のお腹が盛大な音をたてる。

「え……」

静まり返る広場。作業の手を止めて私の方を振り返る消防士さん。繰り返して言うけど、ここに集まってる人は横の繋がりゼロ。だから誰も笑わないし、突っ込まない。ていうか突っ込んでくれないと、どうしようもなくいたたまれないんですけど！　私の心の叫びが通じたのか、消防署のおじさんが苦笑する。

「あー……、朝ご飯食べてこなかったの？」

「……はい」

私は真っ赤な顔でうつむいたまま、小さく返事をした。

「んじゃ、ちょっと早めに切り上げようかね」

開店前にお菓子でもつまむといいよ。そう言っておじさんは、私の肩を叩いた。


「お疲れ様」

店に戻ると、開店準備を終えた椿店長が迎えてくれた。

「どうだった？」

「消火器で火を消す役をやりましたよ」

私はカウンターの下から雑巾《ぞうきん》とガラスクリーナーを出して、ショーケースを磨きはじめる。

「あら、それは珍しい。面白かった？」

「はい。ちょっと非日常って感じで面白かったです」

お腹の件は伏せて、無難な報告をした。

「そうね。ずっと地下にこもってると変化がないものね」

とりとめのない会話をしながら、きゅっきゅっと音を立ててガラスを磨く。開店二十分前。お客さんが入ってくる直前のひとときが、私は一番好きだ。

がらんと空いた通路。けれど配置にはついている店員。ケースにかけられた布をたたむ人。台車で通り過ぎる人。商品の並べ替えをしている人。

まだBGMも流れていないフロアに聞こえるのは、ぱたぱたと人が動き回る音だけ。たまに「レジのお釣り用意してない！」なんて声も聞こえてくるけど、これはご愛嬌《あいきょう》。裏の事務局に行けば、ちゃんと両替してもらえる。

『開店十分前になりました。地下一階食品フロアの皆さんは、朝礼を行いますので中央通路に集まって下さい』

フロア長の声で、アナウンスが入った。そこで私たちは店を出て、中央通路に集まる。

「えー、さっき参加された方もいると思うので簡単に説明しますが、これから一週間は秋の火災予防週間です。各店気をつけて下さい。それと今日は広報部の方から連絡があるそうなので、聞いて下さい」

フロア長がうながすと、中央に一人の女性が進み出てきた。広報部の人ってことは、社員なんだろう。ビジネスっぽい黒のスーツ姿だけど、すごくお洒落で格好良い。彼女は軽く頭を下げると、書類を読み上げる。

「地下食品フロアの皆さん、おはようございます。広報からのお知らせです。いつもなら秋といえば食欲の秋。地下食品フロアの皆さんには『秋の満腹フェア』や『特盛り収穫祭』など、ごってりとしたメニューで売っていただいていました。しかしそれだけでは量より質の風潮に逆行するばかりです。そこで今年は量より質、お得感より特別感をキーワードに商品を組み立てていただきたい」

ふむふむ。確かにここのデパ地下は割合と庶民的だ。でも、だからこそ私はここが好きなんだけどな。だって気取り過ぎてると入りにくいし、それにお小遣いで楽しめるようなものがなくなったら、このデパートで買える物がなくなっちゃうから。

「時代は物語を求めています。だから東京百貨店の秋は、『知的な食』。それに従って背景のあるメニューをコンセプトに進めていきたいと思っています。十月中旬から十一月中旬までの期間をそれに当てますので、店舗側の方はメニューが決まり次第、フロア長に提出して下さい」

広報の女性は一気に読み上げると、また一礼して戻っていった。

「背景って言われても、困っちまうなあ」

私の隣でぼやいたのは、鮮魚コーナーにいる調理担当のおじさん。

「こちとら、アジとかタイとか素材しかないいんだからさ。産地表示ぐらいはするけど、そんなん前からやってるしなあ」

なあ？　と言われて思わずうなずく。

「でしたら魚の名前の語源とかはいかがです？」

椿店長の意見に、鮮魚コーナーのおじさんは苦笑した。

「それもいいんだけどさ、夏にもうやっちまったんだよな。夏休みの宿題にいかが、みたいな感じで」

「あら残念。だったら王道で、それぞれの調理法とか？」

「だよなあ。そんで若い奴にレシピカードでも作ってもらうか。にしても広報ってのは、いちいち面倒くさいことを言ってきやがる。満腹フェアなら、アジを一匹上乗せとかでいいのによ」

おじさんはぶつぶつと文句を言いながら、鮮魚コーナーの奥へ戻っていった。デパートと言っても裏方がメインのおじさんは、うちの近所の商店街にもいそうな感じがして好感が持てる。

「背景のあるメニュー、ねえ」

店に戻って椿店長はショーケースを眺めた。今月の生菓子は『光琳菊《こうりんぎく》』、『跳《は》ね月《づき》』、『松露《しょうろ》』。どれも秋らしいけど、物語といったらやはりお月見をイメージした『跳ね月』がいいんじゃないだろうか。私がそう告げると、店長は腕組みをしたまま首をひねった。

「それもいいのよ。でもねえ、和菓子なんてほとんど全部の品に物語がついてくるから、選びにくくって」

「全部、ですか」

「そう。だって歴史が古いほど、付随する話も多くなるでしょう？　あと、お茶席で使われたりして逸話があるものだってあるし」

なるほど。私がうなずいていると、開店の音楽が流れはじめた。慌ててカウンターの中心に戻り、通路を歩いてくるお客さんに向かってお辞儀をする。

「いらっしゃいませ」

あちこちから、こだまのように同じ言葉が聞こえてくる。開店直後のお客さんは、通路を歩くだけですべての店員から挨拶される。それが好きで来てるんだよ、なんて言ってたおじいさんもいるほど、お客さんにとっては大名気分が味わえる瞬間だ。

顔を上げて通路を眺めていると、その向こうからやってくる杉山様の姿が見えた。

「いらっしゃいませ」

「おはよう、梅本さん」

芥子色《からしいろ》のニットを着た杉山様は、にっこりと笑う。この方は『みつ屋』の常連さんで、お年は召しているけどとても可愛らしい。だから店の皆は彼女のことが大好きなのだが、立花さんにいたっては「こうなりたいっていう理想そのもの」だという。そもそも性別が違うくせに。

「今月のお菓子が出たわね。さっそくいただきに来ちゃったわ」

「はい。どれもおすすめですよ。『松露』は茸《きのこ》をイメージした練り切りで、『跳ね月』はお月見を模して羊羹の上に月と兎《うさぎ》の型抜きをしてあります。そして『光琳菊』は……」

ちょっと難しい説明だったので、私は言葉に詰まる。

「えと、お茶席でよく使われる菊を模したお菓子で」

そんな私に、杉山様が助け舟を出してくれた。

「江戸時代の芸術家、尾形光琳《おがたこうりん》の意匠を使っているのよね」

「あ、はい。そうです」

さらに椿店長が補足説明をしてくれる。

「ちなみに今回は当店の職人がちょっと遊びまして、中心にのし梅を忍ばせてあります」

「そうなんです。とろんと口の中でとろける練り切りを味わってると、ジャムよりは固めの梅ゼリーが出てきて、それが微妙に歯応えがあって、すっごくおいしいんですよ！」

味見のときに食べた『光琳菊』がとにかくおいしかったので、私は思わず力説してしまった。何がすごいって、餡と梅の組み合わせだけなのに味が変わっているのがすごい。

梅の味は和菓子ではポピュラーだから、春や夏にも梅の味がするお菓子はある。けど、今回のこれはなぜだかちゃんと秋の香りがするのだ。それはフレッシュな青梅ではなく、のし梅の枯れた風味を生かしているからだろう。

「梅本さんが言うと、本当においしそうね。じゃあ『光琳菊』を二つお願いするわ」

「ありがとうございます！」

私はお辞儀をすると、お盆を手にしゃがみ込む。『光琳菊』は、ぱっと見はそら豆にしか見えないほどデフォルメされたデザインだ。まん丸でぽってりして、これが菊？　って感じ。真ん中にすっと入った切れ込みは、まるでスマイルマークの口みたいで、可愛いけれどこれまた菊には見えない。

杉山様を見送ったあと、私はじっと『光琳菊』を見つめる。かなり無理のあるデザインは、なんだかぽかりと突き抜けてて笑いを誘う。可愛いんだかお洒落なんだか、エッジが立ち過ぎてるんだか。何にしろ、このインパクトがあったから後世まで残ったんだろうな。

それにしても、江戸時代の人が作ったデザインが今も使われてるなんてすごい。私は自分が死んじゃったあとに、何か残るものがあるとは思えない。なんてちょっと切ないことを考えてしまうのは、今が秋だからだろうか。

＊

「おい、姉ちゃん」

背中を向けていたときにいきなり声をかけられて、私は振り返る。

「はい、いらっしゃいませ」

反射的に頭を下げ、お客さんの顔を見た。そして見た瞬間、硬直した。

年の頃は五十代から六十代。髪の毛は坊主一歩手前の短さで刈ってあり、ここは地下だというのにサングラスをかけている。さらに丸首のセーターの前面には虎が吠え、竜が火を吐いていた。もちろん衿《えり》なんてなくて、多分長袖Tシャツを中に着てるだけ。

この人、絶対ヤのつく人だ。

そう判断した私は、助けを求めて椿店長の方を見た。すると間の悪いことに電話中で、何やらメモをとっている。

しっかりして。ヤクザだってお菓子くらい買うでしょう。まだ目的がわからないんだから、とりあえず話を聞いてみなきゃ。そう自分に言い聞かせて、私は力一杯の笑顔を見せた。

「何がご入り用でしょう」

「この店には、味見できるものがあるか」

男性はカウンターに寄りかかってじろりとこちらを睨《にら》む。

「あの、新発売の最中でよろしければありますが」

みつ屋は基本的に、ほとんどの商品に味見は設けていない。けれど新発売の商品だけは、お試しとして用意しているのだ。

私はカウンターの中から小さな器を持ってくると、爪楊枝とともにお客さんの前に置く。これは店長に言われて、さっき私が切ったばかりのものだ。

「ふうん」

小ぶりの最中を四等分したものを楊枝に刺し、男性はぽいと口の中に放り込んだ。眉間に皺を寄せて噛み、しばらくしてからごくりと呑み込む。

「姉ちゃん」

私はびくりと姿勢を正した。

「はいっ」

「菓子が泣くぞ」

「はい？」

言われていることがわからなくて、思わず聞き返した。すると男性はあからさまに不機嫌そうな顔をして、最中を指さす。

「わかんねえのかよ。こんなんじゃ、菓子が泣くってんだ」

何それ。うちのお菓子がおいしくないとでも言いたいわけ。

「お客さま」

私が顔を上げると、男性はショーケースを覗き込んで言う。

「まあいい。味は及第点だ。そこの鹿の子をくれ。小倉と栗を一個ずつ」

「……かしこまりました」

失礼だけど、因縁をつけるのが目的ではないらしい。そこで私はお盆に鹿の子を一つずつ取り、お客さんの前に出した。

「こちらでよろしいでしょうか」

鹿の子は通年あるタイプの生菓子で、餡玉の周りに甘く煮た豆をつけたものだが、今は秋なので定番の小倉に加えて栗が用意されている。

「ふうん」

男性は、お盆に載った鹿の子をじっと見つめた。まるでいちゃもんをつけるポイントを探してるような、そんな態度。でもお中元の繁忙期を体験した私は、そういうお客さんを何人もこなしてきた。だからこういう場合、変に緊張したりせず、正しい手順を踏んでいればいいのだとわかっている。

返事をいただくまでは、箱詰めをしない。笑顔で待っていると、男性はようやくそれに気づいたように手を振った。

「ああ、もういい。詰めてくれ」

「かしこまりました。では、少々お待ち下さい」

私はそっと鹿の子のケースを摑んで、持ち上げる。ああ、何度見てもこの照りはいい。栗や小豆をまとめるため最後にかけられた寒天はつやつやで、なんとも食欲をそそる。

そういえば、お腹へってたんだった。思い出さないようにしていたのに、この鹿の子につられてしまった。がっくりとうなだれながらお会計に戻ると、男性は相変わらずじっとショーケースを覗き込んでいる。

「お待たせしました」

「ああ」

とりあえず普通にお支払いをしてくれたので、私はほっとした。

「お品物はこちらです」

そういって手渡そうとした瞬間、最悪のタイミングでお腹が鳴る。信じられない。男性は、サングラスを指で持ち上げて私を見ている。

「し、失礼いたしましたっ」

真っ赤になって頭を下げると、男性が噴き出した。

「なんだ、鹿の子見てたら腹へったのか」

「え、あ、はい」

否定すればいいのに、ついうなずいてしまった。すると男性は笑いながら、ショーケースを指さす。

「腹がへってるなら、そいつら食べちまえばいい」

「いえ、そんな」

私は愛想笑いをしながら、男性の冗談につきあう。すると男性は信じられないことに、真面目な表情でこう言った。

「大丈夫だって。どうせ売り物になんかなんないんだから」

「は？」

売り物にならない、って。さっきから一体なんなの？ 菓子が泣くとか売り物にならないとか、気に食わなければ買わなければいいのに。それにみつ屋のお菓子はどこに出しても自慢なくらい、おいしいんだからね。

私が怒りに震えているると、男性はにやりと笑って箱を受け取った。

「腹切りだ」

そう言うと、じゃあなと手を振って歩き出す。私はその後ろ姿を、ただ呆然と見送った。

なんなの、あの人。

*

十一時、立花さんが出勤してきた。

「ええ？　今日、杉山様いらっしゃったんだあ。お会いしたかったなあ！」

バックヤードですれ違うときにその話をすると、彼は嫌々をするように身をよじった。

相変わらずの女子っぷり。

「どうせ一週間もすればまたいらっしゃいますよ」

「でも、杉山様に会うと何かその週がラッキー、って気がするんだよ」

その気持ちはちょっとわからないでもない。私はうなずきながら、とりあえず今日の連絡事項を伝える。

「秋のフェアかあ。僕だったら、絶対ススキのお菓子を使うけどな」

ススキといえば、お月見。やはり乙女的には「ウサギとペアで」、ってことなんだろうか。私がたずねると、立花さんは首を横に振った。

「ススキをイメージしたお菓子はね、『嵯峨野《さがの》』って呼ばれることがあるんだ。それは昔、京都の嵯峨野が秋草の美しい所として知られてたからなんだけどね」

「ああ、それで」

私がうなずくと、立花さんは片手を上げて制する。

「それだけじゃ全然物語が足りないでしょ。秋草が名物の嵯峨野は、その美しさから貴族の別荘地になっていたわけ。で、『源氏物語』の中に出てくる六条御息所《ろくじょうのみやすどころ》が源氏への嫉妬から奥さんの葵《あおい》の上《うえ》を死なせちゃった後、後悔して身を清めようとするのが嵯峨野にある宮なんだよ」

……えーと、途中からいきなり古文の授業みたいなんですけど。しかも私、『源氏物語』って、タイトルとあらすじしか知らないんだよね。確か稀代《きだい》のプレイボーイで、女の人に手を出しまくってる男の人の話。

「愛すればこその嫉妬。女としての業《ごう》、生きる身の哀しさっていうの？　そういうのがさ、風にざわめくススキと重なるわけ。なんかこう、ざあっていう音まで聞こえてきそうじゃない？」

聞こえない。ていうか男子に女の業を語られても正直困るし。嫉妬に狂うような恋なんて、今までもこれからもしそうにない私は、多分『源氏物語』に共感できないだろうな。

「光源氏って、最後はどうなるんですか」

「うん。物語中では意中の女性を失い、失意のまま出家《しゅっけ》して山にこもるんだ。でも死をイメージさせるタイトルの項もあるから、出家の後に亡くなったって感じかな」

出家、ってことはお坊さんになることだよね。最終的には彼も色っぽい方面から手を引くのか。でも、何にせよちょっと悲しい終わり方だ。

「寂しげな感じが、秋っぽいですね」

「でしょでしょ？」

立花さんを見ていると「おセンチ」という死語が頭に浮かんだが、それは封印しておく。

「でもススキっていうイメージだけで、よくそこまで広がりますね」

「うん。僕もそう思うよ」

エプロンの紐を綺麗な蝶々結びにして、立花さんはうなずいた。

「これは僕が修業してた店の師匠が言ってたことなんだけど、和菓子は俳句と似てるんだ」

「俳句？」

「そう。俳句は短い言葉でできた詩の中から、無限の広がりを感じることができる。でも知識がなくても言葉の綺麗さは伝わるし、知識があったらその楽しさはもっと広がる。ね、似てるでしょ？」

たとえばススキのお菓子は私から見ても綺麗でおいしいけど、その由来を知ったら、心の中に嵯峨野の秋を見ることができる。

「しかも季語があったり、言葉あそびがあるところなんかもそっくり。今風に言うなら、物語を呼び起こすキーって感じなのかな」

「すごい。本当に似てますね」

手のひらに乗るほどの小さなお菓子。でもその意匠に隠された背景を知ることで、次々に扉が開かれる。

知りたい。私も目の前に開ける物語を自分で味わってみたい。不意にそんな欲求が自分の中にせり上がってきた。古典や歴史が死ぬほど苦手だった私だけど、今なら勉強してもいいかなと思う。

だってきっと、知ることで和菓子はもっともっとおいしくなる。

「ところで申し送りの続きですけど、今日はちょっと困ったお客さんが来ましたよ」

「どんな人？　クレーマー系？」

「いえ。ヤクザみたいな人です。一応お買い上げいただいたので『お客様』ですけど、うちのお菓子は売り物にならないとか言うんです」

「何それ。超失礼だね」

また来るかもしれないので、その際は気をつけて下さい。そう言うと立花さんはこくりとうなずいた。

*

午後、休憩から戻った私は椿店長に呼ばれた。

「梅本さん。今日は外に出させてばかりで悪いけど、配達に行ってもらえないかしら」

「配達、ですか」

配送以外に配達があるとは知らなかった。店長はレジの後ろから地図を取り出すと、私の前に広げる。

「行ってもらいたいのは、このデパートから地下道で行くことのできるビルよ。ここの会社の秘書室は、いつもおつかいものにみつ屋のお菓子を使ってくれているの」

地図に示されたのは、ここから距離にして数百メートル。会社名は私でも知っているほどの有名企業だ。確か鉄とか金属を扱ってる会社だと、コマーシャルで言っていたっけ。

「今回は竿《さお》ものの箱を値段別に二種類、各三箱というご注文だから、ちょっと重いけど」

「大丈夫です。力には自信がありますから」

私と立花さんは、店長が読み上げる内容のセットを組み立てていく。竿ものというのは羊羹など、文字通り竿状になったお菓子のことで、それの二本入りは三千円。五本入りで七千円だ。

　立花さんが手早く箱を組み立て、私はお菓子を集める。そして店長が包装してゆくと、あっという間に出来上がった。

「それじゃ、行ってきます」

「気をつけてね。ビルの入り口には守衛さんがいて、その人に言えばわかるようになってるから」

　両手に紙袋を下げて、私は歩き出す。羊羹は水を含んでいるからずっしりと重いけど、とりあえず我慢できないほどではない。

　中央通路を歩いて、地下道に直結する出口に向かう。そして地下道に出た瞬間、私は不思議な気分に襲われた。そうか、この制服で外を歩くのって初めてなんだ。

　私服でもなく、学校の制服でもない、お仕事用の服。なんだかちょっと恥ずかしくて、でも誇らしいような、初めての気分。私は顔を上げ、胸を張ってきびきびと歩いた。

　しかしそんな気分は、ビルの入り口に着いた途端に吹き飛んだ。怖い。なにこの物々しい警備。会社の出入り口なのにロープが張られ、警備員さんは三人態勢で辺りに目を配っている。

「あの、東京百貨店の『みつ屋』からお菓子のお届けに来たんですけど」

おそるおそる声をかけると、その内の一人がじろりと私を見た。

「ああ、秘書室だね。じゃあここに店名とあなたの名前、それに来た理由を書いて下さい」

入館者リストにそれらを書き込むと、ゲストと書かれた入館証のバッジを渡される。

「秘書室には連絡しておきますから、そこのエレベーターで二十階に行って下さい」

言われるままにエレベーターに向かうと、社員らしき人が数人乗り込んできた。皆スーツを着た男性で、首から通行証のような磁気カードを下げている。なんだか違う世界の人って感じだなあ。そう思って隅で小さくなっていると、やがて皆それぞれのフロアで降りてしまった。ふとエレベーターの階数表示を見ると、二十階は最上階。きっとお約束のように、偉い人が高い所にいるんだろう。

チン、という音と共にドアが開くと、そこには綺麗なお姉さんが立っていた。

「『みつ屋』さんですね。ご苦労様です」

「あ、はい。いつもありがとうございます」

ぺこりと頭を下げると、秘書らしきお姉さんはにっこりと笑う。

「秘書室の倉庫にご案内しますので、補充の品はそちらに置いて下さい」

今朝の広報の女性と同じように、スーツを綺麗に着こなして、さらに髪型やメイクも完璧。ファッション雑誌から抜け出てきたようなスタイルは、私とは違う世界どころか違う生き物みたいだ。

高いヒールで絨毯《じゅうたん》の敷かれた廊下をぐらつきもせずに歩く彼女。その後ろを、私は重い羊羹を両手に下げて歩く。さっきまで誇らしかった制服が、急に色あせてしまったように感じるのはなんでだろう。そしてそんなことを考える自分自身が、なんだか嫌だった。

「お帰りのさいは、隣の部屋に一声かけて下さい」

彼女は倉庫の中の『贈答品』と書かれた棚を示してから、部屋を出て行く。お菓子の箱を取り出し、置くべき棚を見るとそこには『みつ屋・三千円／七千円』と張り紙がしてあった。そしてその向こうには、有名な洋菓子店やお酒のコーナーまである。すべて値段順に並べられているのは、まるで持って行く相手がいくら相当かと言っているようだ。

値段だけで選ばれる食べものって、悲しいな。私は自分の持ってきた箱を見つめてつぶやく。これはすごくおいしい羊羹やういろうなのに。

きちんと整理された手土産コーナーを見ていると、あらためてこの会社が大企業なんだと思い知らされた。突き当たりの窓から外を見ると、街がおもちゃのように小さく見える。さっきまで栗鹿の子を箱詰めしていた地下の世界と、ここはどれだけ離れているんだろう。

「あそこは有名な会社だから、敵も多いって聞きますよ。だから入り口のチェックが厳しいんでしょう」

店に戻った私に、立花さんは説明してくれた。彼は店に出ているとき、乙女を封印してですます調で喋る。

「企業スパイだけじゃなく、テロみたいなことを仕掛けてくる相手もいるみたいですからね」

「テロ⁉」

驚いて、つい声が高くなってしまった。辺りにお客さんがいないかどうか見回してから、私たちは話を続ける。

「ええ。あそこの会社自体が兵器を製造してるということもありますが。有名企業というものは、得てして国のイメージを背負ってしまうものです。だからわかりやすい標的になりやすいんですよ」

他にも不買運動の対象にされたり、大企業は大変ですね。立花さんの言葉に私は微妙な気持ちになった。

あの会社の製品は、公共の乗り物として私も利用している。でもその反面、人を傷つけるための道具でお金を儲けてもいるんだ。きれいなオフィスの中で働く、雑誌から抜け出てきたような女の人。彼女が買った綺麗な服の代金は、一体どんなもので構成されているんだろうか。

＊

嫌いな人がいるというのは理解できる。でも、たくさんの人を殺したいという気持ちがわからない。テロや戦争、テレビで悲しいニュースを目にするたび、私はどんよりとした気持ちになる。

「人間なんて、放っておいたって死ぬのにねえ」

これはお母さんの口癖。私も本当にそう思う。

いつかはわからないけど、人は必ず死ぬ。だから絶対に外れない占いがあるとしたら、それは「あなたはやがて死ぬ！」なのだと前にお兄ちゃんが言っていた。

いずれ失われるとわかっているもの。つまり、殺す方だってやがて死ぬのだ。なのに他の人の命を奪ってまで何が欲しいというんだろう。

人が一人いなくなるだけでも、周りの人に余波は広がる。杉山様のご主人や、椿店長の大切な人。残された人の深く静かな悲しみを目にして、私はそのことを思い知らされた。ススキの野原に立ち尽くした物語の登場人物ですら、贖罪《しょくざい》と懺悔《ざんげ》に身をさらしているというのに。

なのに現実の人間って。翌日、再び来店したヤクザの男性を目にして私は一気にテンションが下がった。

「よう姉ちゃん」

ヤクザのお仕事がどんなものか、私は知らない。でも少なくとも暴力と無関係ではないだろう。その時点で、もう駄目。しかも男性は、椿店長が他のお客さんの相手をしているときを狙って私に話しかけてきた。

「いらっしゃいませ」

できるだけ普通に。そう思って接客する。今日も今日とて、すっごい柄のセーター。ジャケットとかは持っていないんだろうか。

「あんたが気に入ったから、また来ちまったよ」

「ありがとうございます」

気に入られたくない。ていうかここでモテても、これっぽっちも嬉しくない。

「あの鹿の子は悪くなかった。特に栗の方がいいな」

おや。この人、結構味がわかるのかも。私の中で、男性の印象がちょっとだけ上向いた。

「ま、俺は天ぷらの方が好きだけどな」

再下降決定。ていうかお菓子じゃないものと比べられたって、土俵が違うんだからどうしようもない。だったらお菓子売り場になんか来ないで、揚げ物食べてビールでも飲んでればいいじゃない。

「今日は何がご入り用でしょうか」

私は立花さんになったつもりで、慇懃《いんぎん》無礼《ぶれい》の仮面を被る。

「こなし、かな」

「え……少々お待ち下さい」

小梨？　そんな名前のお菓子はあっただろうか。私は慌ててメモやカタログを開き、それらしいお菓子を探す。秋だから梨に関連するデザインがあってもいいと思うんだけど、見当たらない。

「申し訳ありません。当店には梨に関するお菓子は……」

すると男性はくくくと笑い声を上げて、カウンターの上に何かを置いた。

「もういいよ、お姉ちゃん。それよりこれをくれ」

何それ。もしかして私、からかわれた？　頭にかっと血が上ったけれど、言葉には出さずに黙って置かれたものを見る。するとそこには、小さなカードのようなものがあった。固い紙でできていて絵の描いてある、これは花札だ。

「あの……？」

意味がわからず返答に困っていると、男性は耐えかねたように笑い出す。

「わかんねえか。だよなあ。じゃあそこのあんころ餅を二つ、包んでくれ」

もう、いい加減にしてほしい。私は唇を嚙み締めてショーケースの中を示した。みつ屋には『あんころ餅』なんて商品はない。彼が言わんとしているのは、おそらくおはぎのことだろう。

「こちらでよろしいですか」

私がおはぎを示すと、男性は軽くうなずいた。もう、これ以上失礼なことを言ったら声を上げて人を呼んでやるから。

「お待たせいたしました」

まだ半笑いの男性に菓子箱を手渡すと、私はすぐにお辞儀をした。

「ありがとうございました。またのお越しを」

これは、できるだけ早く帰ってもらうためのテクニック。桜井さんいわく「笑顔でとっととお見送り作戦」だそうだ。

「ふうん」

男性はちょっと気分を害したのか、笑顔を引っ込めて私をじろりと睨む。そして信じられないような捨て台詞を残し、去っていった。

「うまく半殺しになってるといいな、姉ちゃん」


半殺し。あまりにも物騒なことを言われたので、瞬間私は固まった。

「半殺し……に、なる？　私が？」

そう口に出した途端、手が震えだす。どうしよう。私、ヤクザの機嫌を損ねちゃったのかもしれない。そう言えば昨日だって「腹切り」とか言ってたし。あの人はきっと、最初から私に因縁をつけようとしていたに違いない。

「ど、どうしよう」

辺りを見回すと、ちょうど交代のために桜井さんが入ってきたところだった。

「あ、梅本さん。お疲れ様！」

「お疲れ様」

振り向いた私は、ふと思い出した。桜井さんは元ヤンって言ってたっけ。もしかして、そういう方面に詳しかったりするかも。そこで私は彼女に相談してみることにした。

「半殺し？」

バックヤードで打ち明けると、桜井さんは大きな声を上げる。

「つかそれ、本物のヤクザなわけ」

「うん……だって格好がそうとしか思えないし、花札とか出すし」

男性の特徴を私が説明すると、桜井さんは真剣な表情になった。

「もし本物だったら、やばいよ。一般人じゃ自衛にも限りがあるし」

「そ、そうなの？」

「だって出待ちとかされたら一発じゃん」

一発、とは何がどう一発なのか。聞くには怖すぎたので口をつぐむ。

「デパートって誰でも入れるから、とにかく説明して周りに協力してもらわないと」

最悪、警察呼ぶ必要があるかも。その言葉に私は目の前が真っ暗になった。真面目に働いているだけなのに、なんでこんな目に遭わなきゃいけないいんだろう。

「とにかく、まずは店長だね」

桜井さんはバックヤードを出ると、入れ替わりに椿店長を呼んできてくれた。しかしその後ろには、なぜか立花さんの姿まである。

「今日は私が本社に出かけなきゃいけないから、代打を頼んだんだけど」

「アンちゃん、大丈夫？」

両手を絞らんばかりに組み合わせた立花さんは、これ以上ないってほど内股で、正直頼りがいがあるようには見えない。

「桜井さんはヤクザが来たって言ってたけど、本当なのかしら」

椿店長が心配そうに覗き込んできた。

「はい。しかもなんか私、怒らせちゃったみたいで……」

私がうつむくと、立花さんが椅子を出してくれた。三人で狭いバックヤードにきちきちの車座を作り、話す態勢が整ったところで店長が口火を切る。

「梅本さん。とにかく、これまでにあったことを詳しく話してくれないかしら。どんな小さなことでもいいわ」

「はい……」

そこで私は、一番最初にあの男性が来た日のことから話しはじめた。店長と立花さんは真剣な表情で聞き入っていたが、途中から立花さんの様子がおかしくなってきた。

「服装はとにかくいかにもって感じのセーターなんですよ。竜とか虎がついてる柄で」

「えっと、もしかして髪型もチョリチョリだった？」

「はい。ああいうの何分刈りって言うんでしょうね。短かったです。それにサングラスをかけてました」

　私がうなずくと、眉間に皺が寄る。何だろう。もしかして彼も以前、からまれたことがある相手だったんだろうか。

「それで、小梨っていうお菓子をたずねたんだね」

「はい。あ、もしかして去年の秋とかにそういう名前のお菓子があったりしましたか？」

　去年おいしかったから探しに来たけどなかった。だから腹いせに、という流れを私は考えてみる。けれど店長は首を横に振った。

「私の知る限り、『小梨』という名前のお菓子はここ数年出ていないわ。他のお店と間違えたのかしらね」

「店長、そうじゃないと思います」

　立花さんがじっと店長を見る。

「梨じゃないんです。ゆっくり発音してみれば、店長はご存知のはずですよ」

「え？　小梨、こなし……」

「あと、腹切りはわかりにくいかもしれませんが、半殺しならわかると思います」

　こなし。はんごろし。小さくつぶやいた店長は、がばりと顔を上げた。

「ああ、そういうこと！」

「そういうことです」

どういうことですか。暗号が通じたような二人を見て、私は混乱する。しかしそんな私を置いてけぼりにしたまま、椿店長はいきなり笑い出した。

「梅本さん、大丈夫よ！　その男性、絶対あなたに暴力なんてふるわないから！」

「はい？」

うんうん、大丈夫。そう言いながら店長は私の背中をばんばん叩く。

「だってその人、和菓子職人だもの！」

＊

和菓子職人。てことはお菓子を作る人。私の中のイメージでは、繊細な生菓子を作るこだわりの人だ。それがなんでヤクザに。

「えーと、すいません。話が全然見えないんですけど。どうしてあの男性が和菓子の職人さんだってわかったんですか」

私は混乱したまま、授業中の生徒のように手を上げる。

「専門用語よ。その人は梅本さんとの会話の中に、わざと和菓子に関する専門用語を使っていたの」

そう言って店長はメモに「半殺し」と書いた。

「これは和菓子だけじゃなくて、料理にも使う言葉なんだけど。知ってるかしら」

「いえ……」

そんな物騒な料理用語、あったっけ。それにもしあったとしても、鶏《とり》をしめるとかそういう動物っぽいイメージで、植物性の和菓子とは縁遠い気がするのだけど。

「半殺しっていうのはね、お米とか豆とか粒状の穀物を半搗《はんづ》きにすることを言うの。たとえば秋田のきりたんぽなんかそうね」

「あ、あの半分お餅っぽい感じの」

「そうそう、それよ。で、その男性は何を買ったときにこの言葉を言ったのかしら？」

おはぎだ。そしてその中身といえば、まさに半分お米で半分お餅。しかもあの人はこう言ったんだった。うまく半殺しになってるといいな。それは直訳すると、こうなる。

「おはぎが、うまく半搗きになってるといいな……？」

「おいしくできてるんだろうな、みたいなことが言いたかったのかしらね」

それを聞いた私は、がっくりと肩を落とす。それだけ？　半殺しって、それだけの意味なわけ。ていうか、あんなに怖がってたのが馬鹿みたい。

「じゃあ、こなしも似たような意味なんですか」

はた迷惑な和菓子職人のにやにや笑いを思い出して、私はたずねた。

「こなしの説明は、私よりも職人経験のある立花さんの方がわかりやすいでしょうね」

椿店長に言われて、立花さんがうなずく。

「アンちゃんは、練り切りってわかる?」

商品説明のときによく口にする言葉だったので、それは知っていた。

「上生菓子の外側に使ってある、あんこのことですよね」

「そう。練り切りは上生菓子のメイン食材と言ってもいい。でもそれは関東の話で、関西ではその位置にこなしがくるんだ」

「同じもので名前が違う、とかですか」

地方名なのかと思ったが、どうやらそうではないらしい。

「基本、どちらも白生餡を使うんだけどこなしは餅粉に小麦粉、それに片栗粉なんかを加えて作るから、練り切りよりももっちりとした質感になるんだ。蒸し羊羹が原型とされてるといえば、わかりやすいかな」

栗蒸し羊羹のもっちりとした歯触りを思い出して、私は納得した。

「練り切りは、もっとさらっとしてますよね」

「うん。練り切りは白生餡にグラニュー糖、水、水飴《みずあめ》、求肥《ぎゅうひ》を入れて練り上げるものだから、こなしよりもしっとりしてるんだ。でもそのかわり糖分が多めだから、こってり感はあるかな」

ちなみに、と立花さんは言い添える。

「こなしを上生菓子に使うと、中に包んだ餡の水分を吸わないからひび割れしやすくて、日持ちもしないんだ。だからこなしは、お茶席のお菓子を受注生産でまかなう京都で発達した。そして京都の他では、京都からの技術が流入している大阪、名古屋、金沢なんかで使われることが多いかな」

「じゃあ全国的には、練り切りが主流なんですか」

「日持ちと保湿の上で便利だからね。でも普段は練り切りを使っているお店でも、特別なときにこなしを使ったりして、応用してる感じはあるよ」

関西がメインのこなし。でもここは関東。ということは、あの男性はあえて「こなしはあるのか」と聞いてきたことになる。それはこなしを置くような店であるか、あるいは私のような店員でもこなしについて理解しているかをテストしているようにも思えた。

「もしかすると、みつ屋を調べに来てたんでしょうか」

昨日配達に行った大企業には、産業スパイが来るという。でも食品業界だって、デザインやアイデアを盗むなんていうのはありそうな話だ。

「そうね。スパイかどうかはわからないけど、こう頻繁に来ていることを考えると、うちを調べたいと思ってるのは確かかもしれない」

椿店長は腕組みをして、渋い表情になる。

「あえて店長に声をかけないあたりも怪しいですよね」

正面切ってたずねたければ、店の責任者に声をかけるべきだ。けれどあの男性は、わざと私のような下っ端を選んでいたような気がする。

「一応、本社の方に連絡しておこうかしらね。どうせこれから行くんだし」

椿店長がそうつぶやくと、いきなり立花さんが椅子から立ち上がった。

「そ、それはやめて下さい！」

「え？」

私と店長は、揃って立花さんを仰ぎ見る。

「どうしたの、立花くん」

椿店長が優しくたずねると、立花さんは顔を真っ赤にして頭を下げた。

「その、とにかくごめんなさい。でもその男性はきっと、悪いことをしに来たんじゃないと思うんです。だから本社には、言わないでいただけますか」

「その男性がうちに来た理由を、あなたは知っているの」

その質問に、立花さんは小さくうなずく。

「……その男性は、多分僕の師匠なんです」

＊

師匠。ということは、立花さんがみつ屋に来る前にいた店の職人さんということか。

「でも、ちょっと待って下さい。立花さんはその男性に会ってないのに、どうしてその人が師匠だってわかるんですか」

特徴が似てるだけの他人だって可能性もあるし。私が言うと、立花さんは首をふるふると横に振った。

「服の趣味が、悪いから……」

「えっ？」

「師匠は普段、調理用の服しか着ないから普段着のセンスがめちゃくちゃなんです。しかも衿つきの服なんて鬱陶《うっとう》しいって言って、シャツなんかほとんど着ない。それで春夏はTシャツがメインで、秋冬は長袖Tシャツにセーターが基本なんだ。しかもそのセーターの柄ときたら……」

「虎と竜以外にも、バリエーションがあるのかしら」

椿店長は、明らかにこの状況を面白がりはじめている。

「豹とかトカゲとか、よくわからないけどとにかく派手な模様とか、アンちゃんが見たようなものばっかりです。しかも髪型は短い三分刈り。外見的にはぴったり一致します」

「梅本さんのいる時間に来たのも、立花くんに会わないようにした結果だったのかもしれないわね」

そうか。私は早番が多くて、立花さんは昼番が多い。だから師匠さんは私のいるときにばかり来たんだ。

「サングラスは、変装のつもりなんじゃないかと思います……」

単純な人なんです。ものすごく恥ずかしそうに、立花さんはそうつぶやく。

「でも、立花さんの師匠はどういう用があって来たんでしょうね」

お菓子を毎回買ってくれたということは、味見を兼ねていたんだろうか。

「弟子が働いている店の味が、知りたくなったのかしら」

「わかりません。でも僕に連絡せずに来ていたということは、やはり偵察的な部分もあったのかもしれません」

でも、と立花さんはあらためて深く腰を折った。

「僕の知り合いがお店にご迷惑をおかけしたことは変わりません。本当に、申し訳ありませんでした」

「いいわよ。大事になる前にわかったわけだし」

店長が微笑むと、立花さんの顔が泣きそうに歪む。そしてその表情のまま、しゃがんで私の手をぐっと握った。

「アンちゃん、ホントにホントにごめんね！　怖い思いさせちゃって、もうどうやってお詫《わ》びしたらいいいか……！」

涙目。ていうかそこまで一生懸命謝られると、逆にこっちが悪いことしたような気分になる。

「あー……。いいですよ、もう」

「そんな、強がらないで！　女の子だもん、無理しなくていいんだよ！」

責任とって結婚します。それぐらいの勢いで、立花さんは私に謝りまくった。

「無理してません。それよりも私、気になってることがあるんでそれを教えてもらいたいんですけど」

あの男性が和菓子の職人さんだとわかった時点で、恐怖感はきれいさっぱり消えている。

けれど和菓子について無知な私がからかわれたのは事実なので、ちょっと悔しい気持ちがあるのだ。

「え、何?」

「花札です。こなしはいいとして、花札の意味がわかりません」

「その人は花札を置いて行ったの?」

店長の言葉に、私は首を振る。

「いえ。持ち帰られてしまったんです。でも柄は覚えてますよ。猪《いのしし》です」

「猪鹿蝶《いのしかちょう》の、猪?」

「はい」

あの男性は、猪の札をカウンターに出して「これをくれ」と言った。ということは、こなしと同じように絵の内容を意味するお菓子が存在するのだと思う。

「猪、ねえ」

立花さんと椿店長は二人して考え込んだ。やがて椿店長が「あっ」と声を上げ、通年商品のカタログをぱらぱらとめくる。

「もしかして、亥《い》の子《こ》餅じゃないかしら」

店長の指さした場所を見ると、そこには茶色くてぽってりとしたお餅が写っていた。言われてみれば、猪に見えなくもないような。

「確かに亥の子餅も秋のお菓子ですね。でも、ひと月早いんじゃないですか」

立花さんがさらに不思議そうな顔をする。けれど椿店長は、人差し指を立てて横に振った。

「それがひっかけなのよ。亥の子餅は旧暦の十月に食べるお菓子。つまり現代では十一月のお菓子でしょう？　それに答えられるかどうかのクイズなんじゃないかしら」

こなしの一件を考えれば、それはいかにもありそうな線に思える。

「なるほど、確かにそうかもしれません」

「ところで一つお願いがあるんですけど」

うなずき合う二人に、私は声をかけた。

「やられっぱなしは悔しいので、やりかえしてもいいですか」

「え？　アンちゃん、それってどういう意味？」

「リベンジね。それもいいかも」

目を丸くする立花さんと、興味津々の椿店長。

「立花さんの師匠ということですから、失礼なことをするつもりはありません。ただ、次にあの人が来店されたとき、私も和菓子の暗号で答えられたらと思ったんです」

「アンちゃん……」

「でもあの人は、明日にも来店されるかもしれません。だからできれば今日、空いている時間にでも和菓子のことを教えていただけないでしょうか」

もし忙しければ、上がりの時間まで待ちますから。そう言って頭を下げると、いきなり手が伸びてきた。

「あーもう！　梅本さんってば！」

ぐしゃぐしゃと頭を撫でられ、一瞬脳震盪《のうしんとう》を起こしそうになる。

「向学心の目覚めね。わかったわ。私はこれから本社に行かなきゃならないけど、立花くんを好きなように使っていいから存分に勉強してちょうだい」

「好きなように、って」

「だってこの騒動の源は、あなたの師匠なんでしょ？」

ぐっと言葉に詰まった立花さんに、店長はさらに言い添えた。

「でも桜井さんを一人にするのも可哀相だから、ちょこちょこバックヤードと店を往復すること。わかった？」

「……はい」

責任を感じているらしい立花さんは、素直にうなずく。

「じゃあ行ってくるわね。二人とも、頑張って」

そう言って椿店長は立ち上がると、私物を持ってバックヤードを後にした。

＊

店頭にいる桜井さんにことの経過をざっと話すと、彼女は快く店番を引き受けてくれた。

「大丈夫。どうせ今は繁忙期じゃないし、手が足りなくなったら壁を叩いて呼ぶから」

「ありがとう」

「いいっていいって。それよりその師匠ってやつ？　一泡吹かせてやれるといいね」

可愛い顔で、さらりと物騒なことを言う。俠気《おとこぎ》の人、桜井さんである。

「もし師匠に会っても、殴らないで下さいよ」

「さあて。制服を着てなかったらわかんないですよー」

にっこりと笑う桜井さんを見て、立花さんはため息をつく。

私と立花さんはあらためてバックヤードに入ると、和菓子のレクチャーを開始した。まずは師匠の言った謎かけの答え。

「えっ？『菓子が泣く』も『腹切り』も和菓子用語だったんですか？」

「そうなんだよ。まず『泣く』っていうのは、要するに湿気を帯びてしまうこと。もともとウエットなものが湿ると、露がついたりするでしょ？」

「だから『泣く』んですね」

そして私は、男性にそれを言われた状況を思い出してみた。確かあのときは、試食用の最中を出したんだっけ。乾燥剤も入っていない小さな容器の中で、四等分にされた最中。皮が湿気《しけ》てしまうのは、時間の問題だっただろう。

「試食用だからって、軽く考えてた。これは僕たちの問題だねえ」

立花さんが苦笑する。これから試食用のお菓子は、密閉式の容器にして乾燥剤を入れなければ。

「それから『腹切り』だけど、これは説明するのが難しいなあ」

ちょっと待ってて。そう言って立花さんはバックヤードを出て、お菓子のケースを持ってきた。それはあの男性も買っていった『小倉鹿の子』だ。

「あのね、鹿の子の表面を見てくれる？」

言われるがままじっと見ても、鹿の子は鹿の子。小豆がびっしりとついている以外に、何もわからない。

「小豆、ですよね」

「そう。その小豆がね、特にこの辺だけど。ちょっと崩れてるでしょう」

クリアなケースの外から、立花さんの指が割れた豆を示した。

「ホントはね、表面につける小豆は割れてたらいけないんだよ。だって飾りでもあるんだから」

「それはわかりますけど」

でも豆って、全部を綺麗に仕上げるのは難しいよね。私の中では、これくらい全然許容範囲だ。

「豆を割れずに煮上げるのは、職人の仕事だよ。それで、割れた豆っていうのは皮が破れて中身が出てるから『腹切り』っていうんだ」

どうせ売り物にならない、という男性の台詞を思い出す。こんな細部が許されない世界なんだ。いや。あの人が許さないんだろう。

「師匠さんの作るお菓子は、おいしいんでしょうね」

「うん、最高においしいよ。『河田《かわた》屋』っていう小さな店なんだけどね、すごく繊細なお菓子を作るから茶道の家元とかにも評判がいいんだ」

でもね、と立花さんは遠くを見るような表情になる。

「河田屋のすごいところは、それだけじゃなかったよ」

「どんなところがすごいんですか？」

「師匠はね、身近で安いお菓子をとにかく大切にしてたんだ。おはぎや鹿の子、最中に大福。誰でも買えて、毎日食べるものだからこそ手抜きはできないって言ってさ。だから僕は、修業先に河田屋を選んだんだ」

うん。それってなんかいいな。そういうお店だったら、私だってお得意さんになることができる。上生菓子を毎日買ってたら破産しちゃうけど、大福なら大丈夫だもんね。

「怖い顔だけど、優しい人みたいですね」

「うん。でもアンちゃんが見た通り、師匠は人をからかうのも大好きなんだよね。お菓子に関しては誰よりも真面目なくせに、そこを離れたらもう、いたずら小僧みたいなんだ」

もう、困っちゃうよ。そう言いながらも師匠のことを話す立花さんの表情はなんだか優しい。

「立花さんは、なんで師匠の元を離れたんですか」

「最初はね、離れたくなかったんだ。でも師匠に叱られたんだよね。一つの店しか知らないで一本立ちするのは、今の時代に向いてないんじゃないかって」

そうは見えないかもしれないけど、店を出るときは泣いたよお。立花さんは照れ笑いをするが、本人以外には手に取るようにその光景が見える気がした。

「でも、違うお店に入ってみたら師匠の言ってることがわかったんだ。店の立地や売り方、技術以外にも学ぶことはたくさんあったからね」

「特にデパートみたいな場所での経営とか？」

「そうそう！」

いつか自分のお店を開くため、すべては勉強なんだ。立花さんの言葉に、私は深く納得する。何かを本気でやろうと思ったら、きっと色々なことが勉強になるんだろうな。

「ところでさ、同じ豆でも大納言だったら『腹切り』とは言わないんだよ。なんでだかわかる？」

思い出したように、立花さんがたずねる。

「皮が破れないで潰れる、とかですか」

「残念。大納言ていうのは貴族をさす言葉でしょ。というわけで、切腹は武士がすることだから、が正解」

なんじゃそりゃ。そこまでひねられると、もう推理だけじゃどうにもならない。イメージと言葉あそびと意訳。そんな高等テクニックが必要な感じだ。

「あとさ、亥の子餅ってそのものズバリが『源氏物語』に出てくるんだよね。『葵』の帖でさあ――」

興が乗ったのか、立花さんは和菓子トリビアをこれでもかと繰り出してくる。でも当座必要なのは、師匠への反撃材料なんだけどな。私が話題の方向転換を考えていると、いきなり壁がどんと鳴った。つかの間、私たちが顔を見合わせていると、さらにどかどかと鳴る。

「桜井さんだ！」

私たちは慌てて立ち上がり、店へ出た。するとカウンターの中で、桜井さんが千手観音のようにお菓子を包んでいる。

「ごめん！　ちょうど三つ重なっちゃって！」

現状を把握するなり、立花さんは電卓と伝票を持って素早くお客さんのもとへ向かう。私もまだ制服のままだったので、桜井さんがセットしたお菓子を包みにかかった。

「梅本さん、タイムカード押しちゃったんでしょ。ごめんね」

「気にしないで。私の方こそ、一人でお店に立たせちゃったんだし」

でも、と私は言葉を切った。目の前には三組のお客さん。彼らは皆、商品を待ちつつ桜井さんを見ている。この状況下でよく壁を叩くことができたものだ。それをたずねると、桜井さんはにっこりと笑って壁を振り返る。

「足だよ、足。上半身は作業をしつつ、壁にソバットしたってわけ。それならカウンターに隠れて見えないし、超いいじゃん？」

うわあ。桜井さん、忙しいせいか言葉が戻ってるよ。私が耳打ちすると、わざとらしく咳払いをしてから声を上げる。

「大変お待たせいたしました！　ただいまお持ちしまーす！」

＊

翌日、やはり師匠はやってきた。相変わらずのサングラスに、今日は鯉が滝登りをしている柄のセーター。そして店長が他のお客さんについたのを見計らったように近づいてくる。立花さんは早めに来て見張ると言っていたけど、間に合わなかったようだ。

「よう姉ちゃん」

「いらっしゃいませ。たびたびのお運びありがとうございます」

私が頭を下げると、意外だという表情をした。

「その、昨日はおどかして悪かったな」

もしかして、私が本気で怯《おび》えた顔をしたから種明かしに来てくれたのかな。そんなことを思いつつも、私は臨戦態勢になった。

「いいえ。最中のシトリはこちらの不手際ですし、鹿の子の久助も同じです。ご指摘ありがとうございました」

流れるように専門用語を喋ってみせると、師匠は驚いたようにサングラスを外す。ちなみにシトリは『泣く』と同じで湿気ることを意味し、久助は壊れたお菓子全般をさす言葉だ。

「あと、こなしの件ですが説明不足で申し訳ありません。当店は求肥つなぎの関東系練り切りを使用しており、こなしは初釜などの特別なときだけに使わせていただいております」

これは立花さんトリビアだが、実は「こなしvs.練り切り」の他に練り切りの中でも「関西vs.関東」があるのだという。関西は薯蕷《じょうよ》のあんを主体として練り上げ、関東は白餡に求肥など餅粉系のつなぎを入れて練り上げる。

もうどっちがどっちでもいいじゃない、と言いたくなるくらいややこしい話だが、立花さんいわく「重要な問題」らしい。なので敬意を表して、師匠へのリベンジに使わせてもらった。

「姉ちゃん」

師匠がぐっと近寄ってくる。いい気になり過ぎたかな。そう思っていると、その強面《こわもて》が一気に和らいだ。

「あんた、ほんの一日でよく勉強したな」

「ありがとうございます、松本様《まつもとさま》」

河田屋の師匠の名前は、松本三太《さんた》さん。和菓子職人なのにサンタさんとは、これいかに。

「驚いたな。そこまでバレちまったのか」

「はい。昨日、立花さんから教えていただきました」

「ふん、もうちょっとお姉ちゃんと遊びたかったのに。無粋な奴だ」

師匠と私が話していると、接客を終えた椿店長がやってきた。

「松本様ですね。初めまして。みつ屋東京百貨店の店長、椿はるかと申します」

そう言って店長は名刺を差し出す。

「ああ、こりゃすいませんね。こちとら名刺なんざ持ち歩かない仕事なもんで」

師匠は名刺をポケットにしまうと、深くお辞儀をした。

「早太郎のやつがお世話になってます」

「いえ。こちらこそ立花くんには教えられてばかりです。とてもよく働いてくれていますよ」

「そうですか。そりゃ良かった」

ところで、と師匠は頭をかく。

「ちょっと謝らなきゃいけないんですが、おれは昨日このお姉ちゃんを脅かしちまった。大人げないことをしまして、本当に申し訳ない」

師匠は私に向かって、深々と頭を下げた。

「そんな、いいんですよ。結局暗号は解けましたから、ずっと怖かったわけじゃありませんし」

「そうかい？　でも最後の花札は、ちょっと難問だったんじゃないかい」

「あ、亥の子餅ですね。それは――」

私が説明しようと口を開いたとき、通路の向こうから広報部の女性がやってきた。

「みつ屋さん、ちょっと」

師匠を一般のお客さんだと思った彼女は、手招きをして椿店長をカウンターの端に呼びつける。

「提出していただいた書類なんですけど、あれはちょっとないでしょう」

「どういうことでしょうか」

「知的な食におはぎなんて、何を考えているんですか？　おはぎなんて地味だし、第一物語性を感じないわ」

声を低くしてはいるものの、その会話は微妙に聞こえてくる。そうか。椿店長は秋のフエアにおはぎを使うつもりなんだ。

「おはぎには豊かな文化的背景があります。値段も手頃ですし、親しみやすいお菓子として推したいと思っているのですが」

「ねえ、ちょっと本気なのかしら？　おはぎなんてお彼岸のイメージそのものだし、陰気でもっさりしてるわ。もっと華やかな生菓子とかに変更してくれない？」

確かにおはぎは家庭的でもっさりしてる。でも地味なお菓子だからこそ、いつでもほっと安心できて私は好きなんだけどな。悔しい思いで二人の会話を聞いていると、いきなり師匠がつかつかとカウンターの端に歩いていった。

「よう姉ちゃん。あんたここのデパートの人かい」

「え？　あ、はい。そうですけど」

「だったらもうちょっと勉強しな。おはぎくらい面白い菓子なんて、なかなかないぞ」

お客さんにいきなりそう突っ込まれて、女性は目を白黒させている。

「知らないようだから教えてやるがな、おはぎは名前で七変化するんだ」

「七変化、ですか」

「そうだ。まずは一般的なところで春ならぼた餅、秋ならおはぎと名前が変わる。これは牡丹と萩からきてるんだが、この二つはまったく同じものだ」

そうか。言われてみればそうかも。私の頭の中で、ぼた餅とおはぎがイコールで結ばれる。

「ただ、ぼた餅はあんこだけなのに対し、おはぎはきな粉やゴマ、青のりなんかをつけたりする。店長さんは、そうやって売るつもりだったんじゃないかね」

「ええ。通常より小ぶりのおはぎを作って、色違いの箱詰めにすれば華やかになると思っていました」

我が意を得たり、とばかりに椿店長がうなずいた。

「お彼岸と結びついたのは、家庭で作りやすいからだ。その理由がわかるか？」

「いえ……」

「あれはな、糯米《もちごめ》を蒸した後で餅みたいに搗かなくていいんだよ。半搗きの状態にするなら家でもできるから、身近な菓子になった。そしてそんな作り方から、いくつもの名前が生まれたんだ」

師匠がとうとうと喋っている間にも、お客さんはやってくる。私は耳をそばだてながら、ご注文を繰り返す。

「『跳ね月』を四個ですね。かしこまりました」

それを聞いていたのか、師匠はこちらを指さす。

「月。まさにそれが別名の一つだ。搗かずに作るから、つきしらず。それに月を当てはめれば『月知らず』で、さらに月が見えない方角だってことで『北窓《きたまど》』と呼ばれる。

　つきに到着の着を当てはめれば、『着き知らず』。ひいてはいつ着いたかわからないから、『夜舟《よふね》』。さらにさらに、搗いてる音がしないから隣にもばれないってんで『隣知らず』。どうだ、名前の七変化だろう？」

すごい。おはぎの名前にそんなバリエーションがあるなんて、ちっとも知らなかった。それは広報部の女性も同じだったらしく、絶句したまま師匠の言葉に聞き入っている。

「ま、それを踏まえた上でこれを見てくれ」

　カウンターの上に師匠が出したのは、あの猪が描かれた花札。ん？　だとしたら、正解は亥の子餅じゃないってこと？

「花札の中では、萩と猪が必ず一緒に描かれてるよな。なんでだかわかるか？」

「……わかりません」

　女性は理解不能、といった感じで頬に手を当てる。

「猪の肉のこと、なんて呼ぶか考えてみな」

　正直、猪の肉なんて食べたことがない。でも確かぼたん鍋というのがあるのは知っている。……ちょっと待って。ぼたん？

そのとき、私の頭の中で今まで聞いてきたことが一本の線上に並んだ。

「あ！　わかりました！　ぼたん肉は花の牡丹で、ぼた餅につながるからおはぎで萩！　違いますか？」

「姉ちゃん、勉強の成果が出たな。当たりだよ」

師匠がにやりと笑って親指を立てる。

「お菓子の名前って、駄洒落《だじゃれ》とか言葉あそびみたいなものも多いんですよね。そういうのって、一つの文化だと思うんです」

椿店長はここぞとばかりにたたみかけた。三対一ではいかんせん分《ぶ》が悪かったのか、女性はしぶしぶ書類を引っ込める。

「ともかく、おはぎにするなら包装でそれなりに華やかにして下さいよ」

「はい。もちろんです」

椿店長はにっこりと笑って彼女を見送った。

＊

「いや、中々鮮やかだったね」

師匠は笑いながらカウンターに手をついた。

「松本様が援護射撃をして下さったからですわ」

「でもおかげさまで、ちょっと勉強になったな」

女性の去っていった方角を眺めて、ぽつりとつぶやく。

「実はな、うちの店にもデパート出店の話がきてるんだよ。でもおれは、おれの目の届かないところで自分の菓子がどう扱われるのかが気になった。だから早太郎の店を見てみようと思ったんだ」

だから味見にも厳しかったんだ。私は師匠の、すべてを試すような態度を思い出す。

「見学なさってみて、いかがでしたか」

椿店長の言葉に、師匠は苦笑した。

もし自分が出店したらどうなるのか。お菓子のクオリティを保つことはできるのか。自分のいないところでの接客は、知識はどうだろう。そう考えながら接した店員は、もの知らずのアルバイト店員。和菓子用語なんてこれっぽっちも通じない、プロ意識のない小娘。きっと、私は師匠を絶望させてしまったに違いない。

そりゃあ意地悪の一つも言いたくなるよね。私がうなだれていると、師匠がちらりとこちらを見た。

「おたくさんに限らず、この地下食品街を見た結果、デパートってのはやっぱりどうやっても画一的になりがちで、どうにもおれには向いてないような気がしたよ。だから出店自体は断ろうと思ってるんだが、この姉ちゃんだけは別格だったな」

「……はい？」

「最初にここへ来た日、あんたは他の客に『光琳菊』の説明をしてたろ」

それって、杉山様と話していたときのことだ。

「知識はぼろぼろだったけど、とにかくうまそうに話すもんだから、つい俺も聞き入っちまった。ああいう接客は、おれの店にはないもんだからね」

多分、ほめられているのだと思う。

「菓子の知識も大事だけどよ、店頭に来た客に訴えかけるのはやっぱり『これがどううまいか』ってことなんだろうな」

「梅本さんは、お菓子に愛を持って接していますから」

「そうだな。そんな感じだ」

師匠はにやりと笑うと、いきなり私の手を取った。

「え？　あ？」

「知識なんざ、あとからどうにでもなる。でも愛嬌と説得力は勉強して身につくもんじゃないからな。ここに飽きたら、いつでもうちに来な。姉ちゃんなら、久助を食い放題にしてやるからよ」

それはすっごく魅力的、じゃなくて。もしかして私、今人生で初めてヘッドハンティングされてない？　ていうか、モテてる？

「あ、ありがとうございます」

こんな私を認めてくれたんだ。そう思うと、本当に嬉しい。でも最初に私を認めてくれたのは椿店長だから、まずはここでまっとうしないと。

「お気持ちだけ、受け取っておきます」

深く頭を下げると、師匠は残念そうに「そうかい？」と笑った。

「ちなみに鹿の子ですけど、私は天ぷらより艶天《つやてん》が好きです」

師匠の謎掛けで、最後に残ったキーワードは『天ぷら』だった。『天ぷら』はお菓子の表面を液状にした羊羹で固める技法で、『艶天』は寒天など照りのある素材で固める技法のことをいう。つまり、多くの鹿の子は『艶天』で仕上げられているわけだ。

「うーん、その呑み込みの早さもいいんだよなあ」

「あげませんよ。梅本さんは当店の大切なマスコットなんですから」

師匠と三人で談笑していると、遅れてきた立花さんがようやく姿を現した。

「やっぱり師匠！」

何やってるんですか、とたずねる立花さんに師匠はにやにやと笑いながら答える。

「さあてね。当ててみな」

うわあ。やっぱりいたずら小僧だ。しかも「ひどいですよう」と泣きの入る立花さんと並ぶと、まるで漫才。

＊

人生で初めて、男性から手を握られて望まれた日。私はあらためて和菓子の勉強をしようと心に誓った。だって『源氏物語』の登場人物とおなじお菓子を今でも食べられるなんて、すごいことだよね。

ずっとずっと昔から、時間は途切れなく続いている。その時間の別名を、歴史という。

だとすると、いつか私だって自動的に歴史の一部となる。本には残らない名もなき人生だとは思うけど、食べることでお菓子を次の世代へ残していけたらいい。

名もなきおはぎはきっと、私のような人に支えられて歴史の波を越えてきたのだから。

甘露家

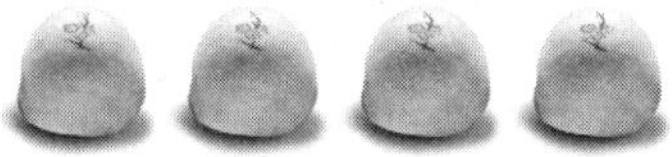

「……杏子！　ちょっと！」

遠くから声が聞こえてくる。でも私は聞こえないふりをして寝返りを打つ。

「杏子ってば！　ほら起きなさい！　また遅刻するつもり!?」

「んー……」

私は枕元の時計を手に取った。八時。うん、八時だ。

「ちょっと、何ゆっくりしてるの。今日はお休みなの？」

「ううん。お仕事だよ」

ころりと布団にくるまりながら、私は返事をする。

「じゃあ、起きなきゃ駄目じゃない。あんたいつも七時に起きてるんでしょ！」

「起きなくてもいいんだもーん」

私は呑気な声を上げると、巣穴に入った動物のように顔だけを覗かせた。

「だって今日は、遅番だから」

「え？　遅番？」

「そう。だから家を出るのは十時過ぎでいいんでーす」

ふふふ。これってまるで休日。私はほくそ笑みながら、ぬくぬくを全身で味わう。

「そうなの」

お母さんの声が穏やかになった。しかし次の瞬間、いきなり布団が剝《は》がされる。

「寒っ！　ちょっとお母さん、寒いじゃない！」

私は思わず起き上がって、布団を取り返そうとした。けれど仁王立ちしたお母さんは、非情にもそれを足もとに置いてしまう。

「あんたは起きなくてもいいでしょうけど、こっちは朝ご飯が片付かないのよ。後で寝るのは自由だから、とにかく食べちゃいなさい」

「……はーい」

しぶしぶうなずくと、私は着替えるために立ち上がった。

*

椿店長が、申し訳なさそうな顔で近寄って来る。

「梅本さん、ちょっと相談があるんだけど」

そう言って差し出されたのは、十二月から一月にかけてのシフト表。見ると、微妙に空欄が目立つ。

「実は今月、桜井さんが忙しくてシフトが埋まらないの」

なるほど。空いているのは、主に桜井さんが入る予定だった場所だ。彼女は大学生だから、試験やサークル活動などが重なっているのかもしれない。

「それで、もし梅本さんが入れたらお願いしたいと思って」

「あ、いいですよ。それって遅番になるってことですよね」

今月は特に予定もないし、私は軽くうなずいた。すると店長は、安堵の笑顔を見せる。

「いいの？　本当にごめんなさいね。できるだけ早く上がれるようにするから」

「そんなに気にしないで下さい。私も遅番って入ってみたかったので」

私がアルバイトに入ったときの条件に、時間の制限はなかった。けれど店長や立花さんは、新入りの私に気を使って早番に回してくれていた。それ以来、なんとなく私は早番で桜井さんは遅番という図式が定着しつつある。

でも、ここで働きはじめてほぼ半年。そろそろ私も、遅番に入ってもいい頃だろう。

「あ、でももしご家族の用事とかが入ったら、休んでいいのよ。その場合は、本社に応援を頼むから。あと、帰り道が危ないようなら、少し早上がりにすることもできるし」

どこまでも気を使ってくれる椿店長に、私はにっこりと微笑む。

「大丈夫です。うちは明るい商店街にありますから、ちょっとぐらい遅くなったって心配ありません」

この季節に一番懸案の、あの問題に関してはあえてコメントしない。

「ありがとう、心強いわ。なにしろこれから繁忙期だし」

「はい。頑張ります！」

夜まで任されて、ようやく一人前。そんな気がして、私は胸を張った。

それが、今月頭の話。

＊

朝ご飯をいつもよりゆっくり食べ、お茶を飲みながら朝のワイドショーを見る。それでも時間はまだ九時。

「あー、幸せ」

私はお漬け物を齧《かじ》りながら、普段は見られない時間帯の番組を堪能した。

「ねえ、ちょっと本当に大丈夫なの？」

いつまでも家にいる私を見て、お母さんが不審そうに眉をひそめる。

「大丈夫だってば。遅番っていうのは、お昼前に入ればいいんだから」

「そうなの？」

「うん。そのかわり夜が遅くなるんだけどね。多分、十時くらいになると思うよ」

「あら。じゃあ帰りは気をつけないと」

そう言ってお母さんは、さらに不安そうな表情になった。

「でも、うちは駅から明るい通りしか歩かないから」

「そう言われれば、そうね」

お母さんは納得したようにうなずくと、私に湯呑みの載ったお盆を寄越す。

「……何これ？」

「時間があるなら、お仏壇にお茶上げといてちょうだい」

「まだ上げてなかったの？」

私はお盆を引き寄せると、急須に新しいお茶の葉を入れてお湯を別の器に注《そそ》ぐ。本当は朝一番に入れたお茶を差し上げないといけないのだが、どうやら今日はうっかりと忘れられていたらしい。

「ちょっと、ばたばたしてたから」

「あっ、そう」

ほどよく冷めたお湯を急須に注ぎ、並んだ湯呑みにお茶を入れていく。おじいちゃんの愛用だったごついものに、おばあちゃんの好きだった薄手の器。会ったこともないひいじいちゃんたちの分は、さすがに仏様用の小さなサイズになっている。

最後に仏様自身のために新しいお水を汲んで、私は立ち上がった。

和室に入り、お仏壇の前にお盆を置くと、それぞれの写真や位牌《いはい》の前にお茶を置いてゆく。

「二番茶ですいません」

なんとなくそうつぶやきながら、私はお鈴《りん》をちんと鳴らして手を合わせた。

別に仏様を信じてるわけじゃない。ただ小さい頃からそうしてきたから、そうしているだけ。でもたまに、おじいちゃんやおばあちゃんに届けばいいなと思うことはある。

年末から二月の中頃まで続く懸案の問題に関しては、差し迫ってどうなるというものでもないけど、とりあえずお願いしておく。

「まあ、なるようにしかならないか」

拝みついでに、古くなったお菓子を下げた。ていうか、そもそもうちのお母さんはお仏壇に何でもかんでも上げすぎる。お茶と小さなお菓子はいいとしても、いただきものの箱菓子、野菜や果物、果てはストック用の箱買いしたジュースまで脇に置いてあるのを見ると、ここは食料庫なんじゃないかという気がしてくる。

「だって、仏様に上げるのは悪いことじゃないでしょ」

下げてきたお菓子の包みを開けながら、お母さんは言った。

「わかるけど、なんかちょっと違う気がする」

私もそれに倣《なら》ってお菓子を手に取る。透明なビニールに包まれたそれは、ちょっとお洒落な洋菓子だ。いつも和菓子を上げている我が家にしては、珍しい。

「これ、どうしたの」

「いただきものよ。たまに洋風もいいかなって思って」

どっしりとしたクッキー生地には、飴で固められたアーモンドが敷き詰められていた。一口かじると、甘苦い味の奥からバターがふわりと香る。

「おいしいね」

材料の良さが味に出ている、きちんとしたお菓子だ。するとお母さんはうなずきながら、聞き捨てならないことを言い出す。

「洋菓子って、やっぱり華やかよねえ。味のバリエーションも豊富だし、しばらくこっちでいこうかしら」

「和菓子だって華やかだし、味だって色々あるよ」

私は少しむっとして、音をたててお茶をすすった。

「でも、味ったってほとんどはあんこでしょ」

そう言われて、ぐっと言葉に詰まる。

確かに和菓子と言えば餡だ。でも、和菓子の世界はそれだけじゃない。餅もあればどら焼きみたいなふわふわの生地もあるし、かりかりのかりんとうだってある。つまり、食感に関しては決して洋菓子にひけを取らないのだ。

味だって梅とか柚子とか柿とか、色んなフルーツが使われてる。それに肉桂《にっき》やお抹茶など、フレーバーだって負けてないはずだ。

じゃあ、何で言い返せなかったんだろう。悔しさのあまり、私は口をへの字に曲げたまま立ち上がると、出勤の支度をしに自分の部屋へと戻った。

＊

十時に家を出て、駅までの道を歩く。外に出ると一瞬寒いけど、それでも朝よりはずっといい。クリスマスカラーに飾り付けられた商店街を歩きながら、私はなんとなくケーキ屋さんを眺めた。今が売り時とばかりに華やかなお店を見て、これはちょっとしょうがないかなとも思う。

(十二月のケーキ屋さんには、勝てないよねえ)

みつ屋で働くようになってから、私は以前にも増して和菓子が好きになった。だからできれば全面的に和菓子の肩を持ちたいところだけど、洋菓子だって大好きだ。和菓子にも洋菓子にも、それぞれいいところがある。だからこそどっちがどうとか言われると、ちょっとふくれてしまうんだけど。

(今日はお母さんに、お菓子を買って帰ろうかな)

少し反省しながら電車に乗り込み、十一時にデパートに入る。そして十一時半に出勤。ランチとお歳暮を求める人で混み合うフロアを抜けて、私はみつ屋の店舗に辿り着いた。

「おはようございます」

昼前だけど、この挨拶でいいのかな。そう思いながら桜井さんに声をかける。

「あ、おはよう。ごめんね、遅番を押しつけちゃって」

「気にしないで下さい。遅番もやってみたかったから」

「でも十二月だし、忙しくない?」

「大丈夫。うちは両親ともこっちの人だから、帰省とかしないし」

なら良かった。そう言うと桜井さんは、私に向かって片手を上げた。

「じゃ、タッチ交代」

軽く手を合わせると、タイムカードを押して昼の休憩に出かけてゆく。それを見送る私の元に、接客を終えた椿店長が近づいて来た。

「おはよう、梅本さん。初めての昼出勤はどう？」

「おはようございます。この時期は朝が辛《つら》いから、ちょっとお得な気分でした」

「ああ、そうね。確かに」

微笑む店長に向かって、私はふと今朝の疑問をぶつけてみる。

「あの、店長。洋菓子にあって、和菓子にないものってなんでしょう？」

「あら、なぞなぞ？」

「いえ。ただ、洋菓子はいつでも皆に人気なのにくらべて、和菓子はちょっと不利な気がして。で、その理由って何なんだろうって思ったんです」

私は催事コーナーのシュークリーム屋さんを見て、悲しくなる。あんな行列、和菓子コーナーではほとんど見たことがない。

「そうねえ。でも私は、和菓子が不利だとは思ってないわ。だからといって洋菓子が不利でもない。ただ……」

「ただ？」

椿店長もその行列を眺めると、ふっと笑みをこぼした。

「いいヒントだわね、あれ」

「え。シュークリームがですか？」

「そう。さらに簡単に言うなら、ヒントは子供」

シュークリームと、子供。それが和菓子にないものなのだろうか。確かに和菓子は、子供にあまり人気がない。でもってとろとろのクリームが嫌いな子供は、あんまりいない。

ということは。

「クリームがポイント、ですか」

私が答えると、店長はにっこりと笑った。

「当たりよ、梅本さん。今最も人気があるのは、口どけがいいお菓子なの」

「口どけ」

「そうよ。クリーミーって表現すればわかりやすいかしら。口の中でとろりと溶けて、なおかつこってり濃厚な油のうまみが広がる。それが昨今の人気商品におけるキーワードなの」

確かにシュークリームはとろりとして、濃厚だけど。

「ソフトクリームやプリン、それにチョコレートは言わずもがなだし、流行のマカロンも口どけが命のお菓子よね」

柔らかくてクリーミーで、口どけのいいお菓子。言葉だけ並べると響きがいいけど、ちょっと首をかしげたくなる。

「でも、それってなんか子供の味覚って言われてるみたいですね」

ハンバーグとかシチューとかカレーとか。それぞれがおいしいのはわかっているけど、どこか素直にうなずけないのは、私がひねくれているからだろうか。

しかし椿店長は、くったくのない表情でうなずいた。

「子供の味覚が最大公約数なのは、仕方のない話よ。だって、人間の体には高カロリーなものをおいしいと判断する部分があるんだから」

「そうなんですか」

「そうよ。だから砂糖と油脂、塩と油脂、そして炭水化物と油脂っていう組み合わせをまずく感じる人なんていないわ」

上からドーナッツ、スナック菓子、フライドポテトや菓子パンってイメージね。そう言われると、私は深く納得した。高カロリーなものは、確かにおいしい。

「でもね、油脂に限って言えば和菓子にだってかりんとうや大学イモみたいな揚げ菓子は存在してるわ。乳製品だって牛乳かんやバター風味の桃山なんかもあるし、卵は黄身餡からカステラまで幅広い」

「じゃあ……」

もうほとんど変わらないじゃないですか。私がそう言うと、店長はうなずく。

「輸送の発達した現代では、和と洋の間に垣根なんてないに等しいわ。ケーキ職人が抹茶のお菓子を作り、和菓子職人がチョコレート菓子を作る。まさにボーダーレスね」

そう言われれば、このフロアにも生クリームを入れたどら焼きや、チョコレート大福みたいな和洋折衷ものを扱うお店は多い。私がうなずくと、椿店長はさらに続けた。

「そんな中で生き抜くために、お菓子業界の人はよりウケる、より新しいお菓子をいつも模索しているの。そして今の流行は口どけがよく、クリーミーなお菓子というわけ」

「えーと……。それはつまり、和菓子が不人気なんじゃなくて、洋でも和でもない『流行《はや》りのお菓子』があるってことなんでしょうか」

私がそう答えると、店長は軽く手を叩く。

「よくできました」

前を通るお客さんに笑顔を向けつつ、店長はシュークリームの列を示す。

「洋菓子だって古くから伝わるものは、もっさりして重たいものが多いわ。でもその中から日本人の味覚に合うものを選んで、流行に合ったものを作り上げていく。それが現在進行形、流行のお菓子よ」

なるほど。洋服の流行には疎《うと》い私だが、お菓子の流行ならわかる。たとえば、古典的なケーキを作る近所の『洋菓子かとれあ』。あそこのシュークリームの皮はしっかりと堅《かた》くて、行列の先にあるしっとりたぷんたぷんのシュークリームとは別物だ。

「なんか、ちょっとほっとしました」

勝ち負けとかじゃなくて、流行があるだけだというのは救いな気がする。だって、流行は移り変わるものだし。

それを証明するように、このフロアにある洋菓子店でも売れ行きに差がある。複数ある店舗のうち、いつも人気があるところは決まっていて、後は比較的のんびりとしている。中には贈答用と割り切っているのか、普段ほとんどお客さんのいない店まであるのだ。

「でも和菓子が不人気、っていうのは少し耳が痛いわね。近年は和風ブームのおかげで盛り返して来たけど、やっぱり流行のお菓子にはかなわないし」

だからうちも頑張って販売促進しなくちゃ。店長はそう言うと、ショーケースの前に立ち止まったお客さんに近づいていった。

＊

桜井さんがお昼から帰ってくると、今度は入れ替わりに椿店長が休憩に入る。

「ところで、遅番の流れってどうなってるんですか」

お客さんが途切れたとき、私は桜井さんにたずねた。

「えっと、店長が帰ってくるのが二時くらいでしょ。それで三時から梅本さんが休憩をとって、四時にレジの点検をすると同時に私が帰る。あとは八時にお店を閉めて、片付けをして八時半から九時くらいに上がり。そんな感じかな」

メモを取りながら聞いていて、私はふと疑問に思う。

「椿店長って、最後までいるの？」

「今日は立花さんがお休みだから、通し番だね。でもって店長が休みのときは、立花さんが通し番になるんだ」

開店前から閉店後。数えてみると、十一時間も働いている。

「大変ですね」

「まあねえ、でも社員が一人もいないと、店を開けられないから」

責任者が必要ということなんだろうが、それにしても人が少ないような気がする。

「せめて三人いればいいのに」

「んー、でも今はどこもこんなもんだよ。人件費を削ろうとしてるから」

社員も楽じゃないねえ。私たちはため息をつくと、お歳暮用の伝票や贈答セットを補充しにかかる。


その男性に気がついたのは、桜井さんが先だった。

「梅本さん、ちょっと」

接客を終えて頭を下げていた私に、桜井さんは囁く。

「そこの曲がり角にいる男の人、なんか変じゃない？」

「え？」

さり気なく角の方を見ると、スーツを着た男性がこちらを向いていた。それだけなら気にならないのだが、男性は何やらメモを取っているのだ。

「もしかして、スパイかな。みつ屋の和菓子のデザインを盗みに来たとか」

「でも、それだったら普通に買って帰ればいいんじゃないでしょうか」

私は立花さんの師匠を思い出して、早とちりは厳禁だと自分に言い聞かせる。

「だよねえ。てことは、誰かにリクエストを聞くためにメモってるとか？」

それならわかる。でも、直《じか》に聞きに来てくれればパンフレットもあるのに。そんなことを考えていると、男性がこちらに向かって歩き出した。

「わ。来る」

一瞬にして口をつぐんだ桜井さんは、お得意の営業スマイルを浮かべる。

「いらっしゃいませ」

「い、いらっしゃいませ」

一拍遅れて私も続いた。すると男性は、上生菓子をちらりと見て声を上げた。

「この、今月のお菓子っていうのは、何」

「はい。十二月のお菓子は、冬至《とうじ》の柚子をイメージした練り切りの『柚子香《ゆずこう》』、藁葺《わらぶ》き屋根の家を模した桃山の『田舎家《いなかや》』、それに薪《まき》につもった霜《しも》を表現した『初霜《はつしも》』になります」

桜井さんの流れるような説明に、私は心の中で手を叩く。お見事。

しかし男性は、さらにたずねる。

「あのさあ、その『初霜』ってやつ、見た目はわかったけど、どんな味なの」

「本体は求肥で、中に黒糖の餡が入っていますので、こくのあるお味です」

「この、外側についてるのは」

そう言って、『初霜』に貼りつけられた棒状の部分を指さした。

「あ、それは……」

言葉に詰まる桜井さんの横に、私は並ぶ。

「これは、焼き黄身餡で作った小枝です。ちなみに黄身餡というのは白餡に卵の黄身を練り込んだもので、それを焼いたものが焼き黄身餡です。ほろほろ崩れる口どけと、中の求肥のもちもちとした対比がおいしいですよ」

「ふうん」

二十代から三十代くらいに見える男性は、こうして向かい合っていてもお客さんという気がしない。なぜなら、商品を買おうとする雰囲気が感じられないのだ。

「あとこの家みたいなやつ、味はやっぱアンコなわけ？」

『田舎家』を指さして、首をかしげる。桜井さんの説明を聞いていなかったのかと、私は軽くむっとした。

「いえ。これは中に干し柿をペースト状にした餡が入っています。表面は桃山という焼いた生地ですし、いわゆる餡ものとは違う食感だと思いますよ」

本当は、このお菓子にも餡は使われている。干し柿のまわりは白餡で薄くコーティングされているし、そもそも桃山の生地にも白餡が練り込まれているのだ。でも、「アンコもの」と一括《ひとくく》りに言いそうな相手だったから、私はあえてそう言わなかった。

「そう。じゃあこれが柚子味で、こっちが干し柿、でもって最後のが黒糖餅って感じでいいのかな」

「ええ」

桜井さん仕込みの営業スマイルで、にっこり。

「ふうん、ありがと。じゃあこれ全部二個ずつ。あと羊羹を一個ずつ全種類と、それからそこの最中を全部二個ずつ」

「え？」

てっきり買わないで帰るのだと思っていたので、軽く驚いた。

「あと、領収証ね。無記名でいいから」

「かしこまりました」

動揺は見せずに、素早くお会計をすませる。

「ありがとうございました。またお越し下さいませ」

二人して見送ったあと、顔を見合わせた。

「お買い上げでしたね」

「しかも、すっごい大量。もしかして社用かな」

桜井さんは領収証のページをめくって、首を傾げる。

「でも梅本さん、お菓子にすっごく詳しくてびっくりした。助かったよ。いつの間に勉強したの？」

「あ、ちょっと本を読んだだけですよ」

「そうなんだ、偉いね」

深くうなずく桜井さんを前に、私はえへへと笑った。偶然買った雑誌の特集記事に、和菓子の作り方が載っていたというのはあえて言うまい。

*

午後の時間は比較的おだやかに過ぎ、四時になってレジ点検の時間になった。

レジ点検というのは、その時点までの売り上げ金額や内容をレポートとして打ち出し、残金と照らし合わせて確認する作業をさす。

私はいつもこれが始まる頃に帰っていたので、最後まで見るのは初めてだ。

「それじゃあ店長、梅本さん、お先失礼しまーす」

「お疲れ様でした」

桜井さんを見送りつつ、私は横で点検作業の手伝いをする。みつ屋にレジは一台しかないので、お客さんが少ないうちにこの作業を終えなければいけない。

「梅本さん、レジの中にあるお金の合計金額を出してくれるかしら」

「はい」

紙幣を数え、硬貨を専用の入れ物に並べて私は金額を告げる。これにクレジットカードでの売り上げと最初のお釣りの金額を足したものが、現時点での全額。ここからレポートに記載された売り上げ金額を引いて、残りがお釣りの金額と合致していればオッケーということだ。

「うん、合ってるわね。良かったこと」

椿店長はにっこり笑うと、今度はレポートを片手になにやら書き出した。

「ちょっと裏に行ってくるけど、すぐに戻るから」

そう言い残して、バックヤードに姿を消した。待っている間、私は生菓子のお客さまを二人こなし、ふと正面の通路を見る。するとそこに、先刻の男性が立っているではないか。

しかもよく見れば、その手にみつ屋の袋はない。なぜかシュークリームの列に並んだ彼は、ここでもなにやらメモを取っていた。

「お待たせ。大丈夫だったかしら」

「あ、はい。でもちょっと気になる人が」

桜井さんと一緒にいたときの話をすると、椿店長は列に並んだ男性を見てうなずく。

「ああ、多分あの方はバイヤーさんだと思うわ」

「バイヤーさん？」

それはもしかして、商社とかにいる人のことだろうか。

「ええ。名乗らないところを見ると、他社の人でしょうね」

「あ。そういえば領収証を無記名でって言われました」

「じゃあ決定ね。社名を言いたくないから、そうしたんでしょう。だとするとライバル百貨店のバイヤーさんってとこかしら」

ということは、みつ屋の商品も目に留まったんだろうか。私は今さらながら緊張する。私の接客のせいで、チャンスをふいにしていたらどうしよう。

「今の時期に回ってるなら、新年じゃなくて二月か三月のフェアかしらね。あるいは、どこか新しい施設への新規出店か」

「新規出店……」

確か師匠がここに来たのも、新規出店に誘われたのがきっかけだったな。私は自分のいる場所が、和菓子屋さんであると同時に百貨店であり、ひいては食品業界なのだとあらためて気づかされた。

五時からは、ときどき戦場が来るよ。桜井さんが残した予言の時間が近づいてくる。売り場を見ていて不思議なのは、四時四十五分だとまだ人が『午後』という雰囲気でおっとりと歩いていること。けれど五時を回ったとたん、いきなり人が増え、ざわざわとせわしないムードになる。

「はい、五時からセール始まるよー！」

「今からハンバーグが四個で千円！」

「話題のシュークリーム、出店は今日限りでーす！」

フロアのあちこちで、威勢の良い声が上がりはじめた。それにつられるように、お客さんが小走りで店に寄っていく。

とはいえ売れるのは惣菜がメインだろうとたかをくくっていたら、意外にもお客さんは和菓子のコーナーにも多く訪れた。しかも売れるものが、明らかに昼間とは違う。上生菓子はほとんど売れず、大ぶりで大衆的な商品ばかりが売れるのだ。

「はい、最中が五個ですね」

「こっちは大福を六個ちょうだい」

そんな声が飛び交う中、私はばたばたとお品物を包む。上生菓子ではないから、お盆も必要ないし包装が簡単なのが幸いした。

「ちょっと、みたらし団子十本はまだなの」

「はい。少々お待ち下さい」

なるほど、これは戦場だ。でもお中元やお歳暮のときとは、また違った種類の忙しさがここにはある。そしてそれは、私にとってなんだかしっくりくるような。

「まだなの？」

「はいっ！　ただ今お持ちしますっ！」

お団子と大福を両手に持って走り回る姿は、とても高級和菓子店の店員とは思えない。けれどこのわさわさした感じ、決して嫌いじゃない。

「お待たせいたしましたあっ！」

声を上げて品物を差し出しながら、はたと気づく。そうか、これって商店街のノリとおんなじだ。


昼と夜では、お客さんの層が違う。そんなことはわかっていたけれど、売れる商品まで違うとは思わなかった。

「お腹の減る時間だから、食べでのあるものが人気なのよ」

夕方のラッシュが一段落した頃、ようやく私たちは一息ついた。見ると、ショーケースの中に山と積んであった団子や大福は、すでに十個を切っている。早く帰る私は、いつもそれらのお菓子が売れ残っているのだとばかり思っていたが、それはとんだ勘違いだった。

「こういう商品は、夕方のラッシュに備えてあったんですね」

「そう。生菓子は昼間に売り切り、普段着のお菓子は夜に売り切る。それが理想なのよ」

よく考えてみれば、上生菓子というのはほとんどがお茶席や来客に備えて買うものだ。しかも当日に食べなければいけないから、自然と午前中に買いにくる。そして夜は、一日働いて疲れた体が必要としているような、大ぶりのお菓子に手が伸びる。

「販売って、奥が深いんですねえ」

私は少し空《す》いてきたフロアを眺め、複雑な気分になった。幸いみつ屋は順調に売り切りかけているものの、中にはショーケース一杯に生ものが残っている店舗もある。

(もし残っちゃったら、どうしてるんだろう)

人ごとながら、私は心配になってくる。時間はそろそろ七時を回るところだ。けれど各店舗の人に焦りの色は見えず、積極的な呼び込みもしていない。

(もっと声出して売った方がいいのに)

やきもきしながら見ていると、やがて皆がごそごそと何かの用意をしだした。そして通路にいるお客さんも、何かを待っているように時計をチェックしている。するといきなりフロア長の声で、放送が流れた。

『皆様、お待たせいたしました！　本日最後のセールです。東京百貨店恒例、閉店三十分前セール、開始いたします！』

その声と同時に、お客さんが店に殺到する。今まで空いていたと思ったフロアに、いつの間にか結構人がいて私は驚いた。

「皆さん、これを帰りの楽しみにされているのよ」

それはそうだろう。デパ地下の食品が七時半で半額になるなら、私だって絶対時間を合わせて帰ると思う。

「うちも、残りの生菓子は半額ですからね」

椿店長は残ったお菓子をショーケースの真ん中に寄せて、わかりやすく並べた。

「さて、いざ勝負」

七時五十分。全館放送で『蛍の光』が流れると、警備員さんと社員の男性がお客を出口の方へ誘導しはじめる。そして八時、出口にシャッターが下りる中、フロアの全員が出口に向かって頭を下げる。

『お客さまに申し上げます。ご来店、誠にありがとうございました。東京百貨店は八時をもちまして、本日の営業を終了させていただきます。またのお越しを、お待ちいたしております』

ゆっくりと下りていくシャッター。その向こうで気のいいお客さんが軽く手を振っていた。なんとなく舞台を連想して、私は楽しくなる。最後まで観ていただいて、ありがとうございます。カーテンコールはないけれど、私はちょい役で出た女優のように、微笑みながら頭を下げる。

幕が下りきると、フロアは朝と同じようなざわめきに包まれた。レジ点検の音があちこちで上がり、カウンターの上に私物が置かれている。開店時には端を歩くことになっている通路も、今は堂々と真ん中を通ることができた。

お疲れ様、という声が飛び交う中でみつ屋もまた、二度目のレジ点検を行った。すると奇跡的に誤差はゼロ。あんなに忙しかったのに、間違えなかったなんてちょっと誇らしい。

するとと椿店長は、握りこぶしを突き上げて叫んだ。

「よっしゃ、勝ったっ！」

私が驚いてあたりを見回すと、周囲の人はこれに慣れているのか、あまり反応しない。

「誤差がなくて、良かったですね」

日持ちのするお菓子の残を数えつつ、私はうなずいた。けれど店長はこっちを見て首をかしげる。

「ん？　違うわよ、梅本さん。私が喜んでるのは、レジじゃなくてこっち」

そう言って指さしたのは、ショーケースだった。四角い塗りのお盆の上に残っているのは、あんこのお団子が三つ。

「お団子、ですか」

「そう。生菓子の残《ざん》が三つ。これってすごくいい方なのよ」

店長はレジの下にある引き出しから、検品用の入荷リストを出した。そこには、今朝届いたお菓子の内分けが書いてある。

「たとえばほら、最中が二十個に大福が三十個、それにみたらしが四十本とあんこが三十本。それで最中、大福、みたらしは売り切れ。もちろん上生菓子もね。つまり、私の昨日の読みが当たったってわけ」

「あ、もしかして翌日の発注って、一度目のレジ点検の後にしてるんですか」

バックヤードに入った店長を思い出し、私はたずねた。

「ええ。今日の午前中の動きや、明日の天気や温度をチェックして、売れ残らないような数を工場に注文するの。賭けみたいで楽しいわよ」

椿店長は、こんなところにも賭けを見いだしているのか。呆れつつも感心していると、通路の方から誰かが声をかけてきた。

「椿さん、また勝ったのかい？」

振り返ると、ショーケースの向かいにエプロンをかけたおばさんが立っている。どこのお店の人だろうか。すごく小柄だけど、銀縁眼鏡をかけた顔はちょっと怖そうだ。

「あら、楠田《くすだ》さん」

店長はおかげさまで、とガッツポーズをする。楠田さんと呼ばれたおばさんは、眼鏡の奥からじろりと私を見る。

「そこの子、新入りだね。それとも遅番が初めてなのかい」

「遅番が初めてなんですよ。梅本さん、こちらお酒売り場の楠田さん」

椿店長の紹介で、私はぺこりと頭を下げた。

「梅本です。よろしくお願いします」

「楠田だよ。夜に困ったことが起こったら、何でも言いにきなさい」

当たりはきつそうだけど、どうやらいい人みたいだ。私はなんとなく、夕食どきのテレビドラマに出てくるお姑《しゅうとめ》さんを連想する。

「それじゃ、お疲れ」

軽く手を振って、楠田さんは通路を去っていった。その背中を見送りながら、椿店長は私に言う。

「楠田さんはね、多分フロア長よりも長くこのフロアにいるの。『お酒売り場の生き字引』ってあだ名がついてるくらいの、名物社員さんよ」

「東京百貨店の、社員さんなんですか」

「ええ。お酒売り場にいるのは、全員が社員さんですから」

他の店舗は、ほとんどが外から来ているのに、なんでだろう。私が疑問に思っていると、椿店長が説明してくれた。

「お酒っていうのは、特に店舗としてのブランドはないでしょう？　だから派遣されてくる元がない以上、社員さんの仕事になるのよ」

そう言われれば、『有名酒屋さん』みたいな存在はあまり聞いたことがない。

「しかもお酒は、ものによってはすごく高価なものがあるわ。そういった意味でも、管理を任せるのは自社の人間がいいということなんでしょうね」

「何百万もするワインとか、ここにもあるんですか」

「聞いたことはあるわね。でもセラーの奥にしまわれてるから、実際に見たことはないわ」

　自分とはまったく縁のない世界の話だけに、現実味がない。

「ともかく楠田さんは、すごく面倒見のいい人よ。私もここの店舗に配属されたときから、お世話になってるの」

「そうなんですか」

　ショーケースの上に載っていた小売りのお菓子などをしまい、最後に布をかけると私の仕事は終わった。

「あとは私がお金を経理の部屋に持って行くだけだから、上がっていいわよ」

　そう言われて、私はバックヤードから透明バッグを持ってくる。

「それじゃあ、お先に失礼します」

「あ、そうだ。梅本さん、よかったらこれ持っていって」

　椿店長はかがみ込んでショーケースを開けると、残ったお団子をパックに入れてくれた。

「いいんですか？」

「たまにはね。どうせ明日には固くなってしまって、売り物にはならないから」

「ありがとうございます！」

「お疲れ様。初めての遅番、ご苦労様でした」

店長は微笑むと、包みを私に持たせてくれた。

これでお母さんへのお土産ができた。私はほくほくとした気分で通路を歩き出す。しかし歩きはじめてすぐに、足が止まった。

「か、唐揚げが十個で百円？」

「お姉さん、どう？　二十個買ってくれたら、百五十円でいいよ」

「ホントに？」

惣菜屋さんの人に声をかけられて、ついお財布を出してしまう。でもこれくらいなら、明日のおかずにも使えるし。

「ありがとうねー！」

お団子と唐揚げの包みを下げた私は、それから数歩進んだところでまた足を止める。

「おにぎり、一個五十円……？」

普段は三百円で売っている、サーモンおにぎりが六分の一の値段に。これは買うしかない。そう思ったが、すんでのところで踏みとどまった。家に帰れば、ご飯はある。

しかし値下げ品は、それから先にも山のように現れた。お刺身盛り合わせが三パックで千円、生クリームたっぷりのショートケーキが百円。鶏の丸焼きはちょっと焼かれすぎていたのでスルーしたけど、お弁当が一律百円と聞いたときには、さすがに足が止まった。

「夜食にいかがー？　持ってってー」

帰りがけの従業員が、皆立ち止まって覗き込む。もし私が一人暮らしだったら、絶対にこれを買っていただろう。豪勢な中華弁当や特選幕の内の誘惑を振り切るように、私は早足で店の前を通り抜ける。

＊

次の日の遅番は、立花さんと一緒だった。

「繁忙期に遅番デビューとは、大変でしたね」

お店に出ているときの立花さんは、相変わらず隙のない丁寧語で話す。

「夏のお中元を経験しましたから、そんなに大変には感じなかったです」

「それはよかった」

話しながら、てきぱきと手を動かす。今日は土曜。しかも年末なので、いつもよりお菓子の売れ行きがいい。

「すいませーん、この大福を六個下さい」

「はい、かしこまりました」

積んでも積んでも、大福とお団子はすぐにかさが減る。その売れ行きを見て、椿店長の読みはまたしても当たったのだと思い知らされた。

（週末って、ずっと午後の売れ行きなんだな）

家族連れに、カップル。友達同士と思《おぼ》しき女性や男性のグループ。これまで意識して見たことはなかったけれど、確かにこういったお客さんは上生菓子を買わない。

「ねえねえ、お団子でも買っていかない？」

「いいね。小腹がへったから大福も入れよう」

そんな会話があちこちで繰り返される。

「梅本さん、休憩どうぞ」

時間通りに出ないと、機会を逸しますから。そんな立花さんの指示に従って、私は休憩に出た。早番のときはいつもバックヤードでお昼を食べていたのだけれど、今は年末でフロアが騒がしいので社員食堂に行ってみる。

午後三時の食堂は、人で溢れたデパ地下とは違ってけだるい雰囲気が流れていた。テーブルに突っ伏して寝ている人に、本や雑誌を読む人。この時間に休憩に入る人はほとんどが一人だから、皆静かに休んでいるように思える。

ランチや定食のコーナーは店じまいしているので、私は軽食コーナーでピザトーストとカフェオレを注文した。窓際のソファー席に腰を下ろし、カフェオレを飲むとほうっとため息が出る。ずっと人の多い場所にいたから、気が張っていたんだろう。

「ここ、いいかい」

声をかけられて、とっさにうなずく。

「あ、どうぞ」

ソファー席は少ないから、相席は必須だ。でも煙草を吸う人じゃなければいいな。そんなことを考えていたら、目の前に私とまったく同じメニューのトレイが置かれた。

「おや」

「あ」

思わず顔を上げると、そこには銀縁眼鏡の楠田さんがきょとんとした顔をしている。

「えーと、あんたは確かみつ屋さんの」

「梅本です」

「ああ、そうだったね」

楠田さんは腰を下ろすと、カフェオレをすすって大きく息をついた。メニューだけではなく、行動までなぞったように同じ。私がくすりと笑うと、じろりと睨まれた。

「何がおかしいんだい」

「あの、同じメニューで、同じ動きだったんです」

「ふうん。でもそれは私が真似したんじゃない。あんたが私の真似をしたんだよ」

「え？」

言われた言葉の意味がわからなくて、楠田さんの顔を見返す。すると楠田さんはピザトーストを頬張りながら、得意げに言った。

「あのね、私はここ十年、毎日この時間に休憩をとって、この席に座ってこのメニューを食べてるんだ。今日は、そこにたまたまあんたが来た。それだけのことさ」

毎日、ということは楠田さんは遅番専門なのだろうか。

「専門ってわけじゃない。ただ、午前中にお酒を買いに来る人はほとんどいない。だから自然とそうなったんだ」

「ずっと遅番って、つらくないんですか」

「体が慣れてるから、むしろ楽だね。私は一人暮らしだし、遅く帰っても誰も困りはしない。むしろつらいのは、遅番と早番を繰り返すことじゃないかと思うよ」

夜遅く帰って、次の朝は早い。確かにこれはあまり嬉しくない組み合わせだ。

「でもまあ、椿さんだったらそんなシフトはあんまり組まないだろう」

「はい」

「私も色々な店の人を見てきたけどね、あの人は、なかなかのもんだよ」

椿店長がほめられると、私までなんだか嬉しい。

「接客がすごいですよね。気配りっていうか、目が届くっていうか」

私がうなずくと、楠田さんはなぜか首を横に振った。

「違うよ。椿さんがすごいのは、あの人が『売る店長』じゃなくて『ロスを出さない店長』だからさ」

「ロスを出さないってことは、売れてるってことじゃないんですか」

「そうじゃない。売るだけなら簡単さ。ばんばん仕入れて派手なセールや安売りで目を引いて、あとは接客でどうとでもなる。惣菜コーナーの店なんか、売るだけ売ってロスの多いこと。だから毎日が従業員セールだよ。でも、椿さんはそんなことしてないだろう」

私もピザトーストを齧りつつ、うなずく。

「昨日も、残がお団子三本でしたよ」

「そういうこと。あの人は、いかに最小限のロスで切り盛りするかを常に考えてる。自分とこの商品を、ひいては食べ物を大切にしてるんだよ」

言い終わると、楠田さんはもう一度カフェオレを飲んで大きな息をついた。私はそんな楠田さんを、ちょっと格好いいなと思う。

「私も、みつ屋のお菓子を大事にしていきたいです」

「ま、頑張ることだね」

それから私たちは、ぷつりと黙り込んだ。休憩も半ばを過ぎ、このまま喋っていてはお互い疲れが取れない。そこで私はぼんやりと外を眺め、楠田さんはソファーの背にもたれかかって目を閉じた。

冬の午後。窓の外では、そろそろ陽が傾きはじめている。

*

「もしかして、火事じゃない？」

閉店後、そんな声が聞こえてきて私はぎょっとした。

「火事？」

「えっ、どこどこ？」

いきなりの事態に、フロア全体がざわめく。声が上がった方向は、惣菜売り場。鼻をひくつかせると、かすかに何かが焦げたような匂いがする。一瞬怖いと感じたけれど、見回したフロアの人たちが案外普通なので冷静になれた。消防には誰かが通報しただろうけど、まずは現場での初期消火が大事だったはずだ。

この階の消火器ってどこだっけ。それを思い出そうとしていたら、立花さんにいきなり腕を摑まれた。

「アンちゃん、に、逃げなきゃ」

いやいやいや。そういう感じの火事じゃないと思うけどなあ。ていうか立花さん、乙女口調が出ちゃってるし。私がこっそりつぶやくと、彼は真っ青な顔で繰り返した。

「ほら、早く逃げないと焼け死んじゃう！ アンちゃんを無事に逃がさないと、僕はご両親に申し訳が立たないよ！」

あんたは私のフィアンセか。立花さんのすさまじい慌てっぷりに、私はため息をついた。

「立花さん、落ち着いて。ちょっと待って下さい」

みつ屋はフロアの壁際にあるから、消火器の場所にも近いはずだ。私はフロアの角に行くと、それを見つけた。

「ちょっと、現場に行ってきます」

ムンクの絵みたいな表情で、立花さんは口を開ける。

「大丈夫。誰も駆け出して逃げたりしていないし、お客さんもいません。それにいざとなったらそこの角の階段から上に上がればいいんですから、まずは初期消火」

「わ、わかったよ」

消火器を抱えて歩く私の後ろを、立花さんはよろよろとついてくる。

人だかりの中心を目指すと、火元は惣菜売り場のロースターだった。見ると、いつも鶏の丸焼きや豚肉のロール焼きを回している機械が故障でもしたのか、黒煙を上げている。

火が出ていなくてよかった、と思ったのもつかの間。ロースターにはめ込まれたガラス窓の中では、炎がめらめらと踊り狂っている。

「火が外に出たらやばいぞ」

そんな声に、私は前に出た。同じようにして消火器を持ってきた人が数人いたので、皆で一斉にかまえた。

「せーの!」

ロースターに消火液をかけると、じゅわっという音と共に、化学薬品の匂いが広まった。それが中にしみ込んでゆくと、徐々に炎が小さくなってゆく。

「やったねえ」

そう言って私の肩を叩いたのは、鮮魚売り場のおじさん。

「ここのロースターは時間の問題だと思ってたけど、お客のいない時間でよかったよ」

「時間の問題って、どういうことですか」

口調がもとに戻った立花さんがたずねる。

「ああ。ここは客寄せのために始終肉を焼いてるだろ。その量がさ、明らかに詰め込み過ぎだったんだよ。しかも閉店が近づくと、売れ残ったのを温め直すためにずっと稼働させてたからさ。俺は前から、いつか壊れるんじゃないかと思ってたんだ」

帰り間際に売られていた鶏の丸焼きを思い出して、私は納得する。確かにあれは、明らかな焼き過ぎだった。

「でも、何ごともなくて良かったです」

「そうだなあ」

やがて保安部の人や消防署の人がやってきたので、私たちはいったん店に戻ることにする。

その途中、みつ屋に近い位置にある洋菓子屋さんが持ち帰り用の大きな箱にケーキを詰めているのを見た。自分で買うにしては、量が多すぎる。だとしたら、けっこう売れ残ったということだ。あのお店は贈答品がメインだけど、ケーキもそれなりに充実している。ただ、そんなに売れているという印象はない。

お店的にはマイナスだろうけど、あんなにたくさんケーキを貰えたら嬉しいだろうなあ。

まるで子供のようなことを考えてしまい、私は一人で赤くなった。

しばらくした後、私は消防の人から呼び出された。簡単に事情を聞かれて、消火器を使ったことを話すと、消防士さんは「よくできました」という顔で笑う。しかしその隣に立っていたおじさんが、ふと首をかしげた。

「君は、えーと」

「はい」

みつ屋のアルバイトです。そう言おうとした矢先に、おじさんがあっと声を上げた。

「思い出した。君は、訓練のときにお腹を鳴らしてた子だろう!」

次の瞬間、真面目な事情聴取の場は爆笑の渦と化す。

あり得ない。アンビリーバボー。オーマイガー。

ていうか、女子に向かってそれ言う⁉ 言っちゃう⁉

しかもそんなときに限って、いらぬ気遣いをする人がいる。

「アンちゃん、今日は疲れたでしょう。お腹すいたんじゃない?」

バックヤードに私物を取りに行くと、立花さんが嬉しそうについてきた。

「……すいてませんっ」

思わず強い口調で言ってしまい、すぐに後悔する。別に立花さんが悪いわけじゃない。

「あ、そう？　じゃあお茶とケーキにする？」

「ていうか、なんでどこかへ寄っていくのが前提なんですか」

たずねると、立花さんはもじもじと両手を組み合わせた。

「だって、ボヤとはいえ火事に遭遇したんだよ？　なんか話して帰らないと、怖くて落ち着かなくない？」

「私は平気ですけど」

「そう言わないでー」

お茶しよう、ね？　そうお願いされて仕方なくうなずく。

「じゃあ、従業員用の出口を出たとこで待ってるから！」

女の子は支度があるから先に出るといいよ。そう送り出されて、私はフロアを歩き出す。

お菓子ゾーンを抜け、さっき事件があった惣菜コーナーを過ぎたあたりで、前を楠田さんが歩いているのに気づいた。とはいえ距離があるので、声をかけるまでもなくなんとなくそのまま歩いていく。

しかし、それにしても楠田さんの荷物はやけに多い。両手には底面積の大きなビニール袋を下げ、さらに私物バッグを持っている。お弁当かお惣菜が入っていると思しき包みは、これからパーティーに行くようにも見える。

(もうすぐクリスマスだもんね)

あえて考えまいとしていたその問題を、つい思い出してしまい私は顔をしかめた。十八歳のクリスマス。

更衣室に入り、制服を脱いでハンガーにかける。そしてデニムのハーフパンツを穿《は》き、制服として着ている白シャツの上からVネックのチュニックセーターを被った。まめな人だったらシャツも脱ぐのだろうが、私は面倒なのでこれで家まで帰ることにしている。だって綿だから毎日洗えるし、今日のこれは貸与品じゃない。

(そんなんだから、彼氏ができないんだよ)

自分で自分に突っ込みを入れつつ、私はロッカーからブーツを引っ張り出す。その拍子に、ロッカーの扉が隣の人に当たりそうになった。

「ごめんなさい」

「あ、いえ」

顔を上げて、私は軽く驚く。さっき、ケーキをたくさん箱に詰めていた彼女だ。確か店名は『金の林檎《りんご》』だったっけ。

「お疲れさまです」

挨拶してみると、彼女も私の顔を覚えていてくれたようだ。

「あ、みつ屋さん」

「はい、アルバイトの梅本っていいます。そちらは金の林檎さんですよね」

「ええ、とはいっても社員じゃなくて派遣ですけど。桂沢《かつらざわ》です」

可愛いフリルつきのエプロンを外しながら、彼女はうなずく。そういうのが似合う人って、本当にうらやましい。

「金の林檎さんって、おすすめはなんですか？」

よかったら今度買ってみよう。そう思ってたずねる。

「うーん。本当においしいのは、できたてのケーキかな」

「できたて？」

「そう。早番のとき、配送されたてのケーキ。箱を開けると、本当にいい匂いがしておいしいの」

それはかなりおいしそうだ。私はごくりと生唾《なまつば》を呑み込む。

「ああ、だから今日もお持ち帰りなんですね」

　彼女の持っていた箱を思い出し、辺りを見ると案の定それはベンチの上にあった。

「あ、これは」

「売れ残りを貰ったんだと思ってましたけど、おいしいから買ったんですね。お土産ですか？」

「私は買ってません。それに欲しくもない」

　ブーツのジッパーを引き上げながら言うと、なぜか彼女は浮かない顔で首を振った。

「え？」

「兄ですよ」

　ワンピースを被って、彼女は顔を上げる。つまり、面倒なお使いを頼まれたということなんだろうか。

「買って来いって言われたんですか？」

　私も兄がいるから、たまに理不尽なことを頼まれるのってよくわかります。そう相づちを打つと、彼女は下着にずれでも感じたのか、はっとした表情でこちらに背中を向けた。

「ところで、みつ屋さんも生菓子は配達なんですよね」

「はい。でもたまに残るので、貰えることがありますよ」

「そうなんだ」

じゃあ、お先に。着替えを早々に終えた彼女は、そそくさとロッカールームを出て行った。何か気に障ることでも言ってしまったんだろうか。

私はそれを見送ったあと、少し時間を潰してから外に出た。どうせ、乙女の方が支度に手間取るに決まっている。

＊

「お待たせ」

「はい、待ちましたよ」

先に出たにもかかわらず、十分ほど。けれどそこまでは言わず、私はじろりと立花さんを見るにとどめた。そして見た瞬間、後悔した。そうか。忘れてたけどこの人、結構イケメンだったんだ。

「わあ、アンちゃん私服も可愛いねえ」

「……それはどうも」

きりきりに細いジーンズとロングコートをモデルみたいに着こなした人から、そういうことを言われたくはない。

「まるでテディベアみたい」

それは何か。この高一から着てるダッフルコートがそれっぽいのか。それともコートを着て膨れ上がったこの体型を指してるのか。

「ね。おいしいシフォンケーキのあるカフェに行こうと思うんだけど」

でもまあ、シフォンケーキに罪はない。私がうなずくと、立花さんは嬉々として駅の外に出た。

都心の駅前らしく、華やかに飾りつけられたイルミネーション。そんな中を男性と二人で歩くなんて、人生で初めての局面だ。多分ここでどきどきするのが正しい女子なんだろうけど、あいにく私は現実を知りすぎている。

だから正直に言わせてもらう。実は、一緒に歩くのがつらい。だって、見た目が違いすぎて落ち着かないから。

「あれ？」

店が見えてきたところで、立花さんが突然足を止めた。

「どうしたんですか」

「あれって、楠田さんじゃないかな」

彼が指さす方向には、小柄な女性が見える。知り合ったばかりの私にはわかりにくいけど、大きなビニール袋を両手に下げた姿に間違いはないだろう。

「ホントだ」

「どこに行くんだろう」

私たちが歩いているのは、駅から遠ざかる道だ。そしてその道の先を楠田さんは歩いている。

「お家が近いとか？」

「ううん、違うと思う。前に聞いたけど、駅から電車に乗って二十分って言ってたから」

「じゃあ、本当にパーティーなのかな」

時節柄、大量の食品を持っている人を見るとすぐにパーティーを連想してしまう。

「さっきも、ロッカールームでたくさんケーキを持った人を見たんですよ」

私は桂沢さんに会ったことを、立花さんに話した。

「でもさ、身内が働いてて安く買えるから、大量購入しろとかいう家族も多いみたいだよ」

「そうなんですか」

社員価格で買うのは悪いことではない。ただ、それが度を越した量や頻度だった場合、働いている本人がそこにいづらくなってしまうのではないだろうか。

「そういえば、もうすぐイブだね」

店に入って着席するなり、立花さんは嬉しそうに言った。

「アンちゃんは、ロマンティックな予定とかあるの？」

力一杯、水をふき出しそうになる。

「……ないです」

そんな予定があったら、今頃必死で服のコーディネートでも考えてるはず。あ、もちろんＬサイズの範囲内でだけど。

「立花さんはどうなんですか」

「僕？　僕はねえ、超可愛いツリーを見つけたから、今年はそれを飾ろうと思ってるんだ！」

「いや、そういうことを聞いてるわけではなくて」

話しながらおすすめのシフォンケーキを口に運んで、私はびっくりした。生地が口の中で、ふんわり、しっとり、しゅっと消えるのだ。

「お、おいしいですねえ！」

「でしょう？」

シフォンケーキは元々、植物性の油で作るケーキだ。だから軽い口当たりになるのは当然なのだが、ここまでいさぎよい消え方をするのはなかなかない。

「でも立花さんって、和菓子だけじゃなくてケーキもお好きなんですね」

洋菓子vs.和菓子の話題を思い出し、私はふとたずねてみる。すると立花さんは、両手でカフェオレボウルを包んだまま笑った。

「うん。だっておいしくて可愛いものに国境はないもの」

乙女は洋の東西を問わず。私は深く納得した。

「あ、でも和菓子のことをどうせアンコで出来てるんでしょって言われると絶対に反抗しちゃうんだ。だって洋菓子だって、ほとんどのものは粉と卵とバターと砂糖で出来てるからね。マドレーヌとバウムクーヘンとクッキーの違いがわかるなら、鹿の子とおはぎと大福の違いだってわかるでしょって」

「それはそうですよね。そんなこと言ったら、醬油も味噌も豆腐もあぶらげも『どうせ大豆』だし」

「アンちゃん、うまいこと言う！」

私は苺《いちご》風味のシフォンケーキに、たっぷりと生クリームをつけて一口。

うん。おいしさは国境を越えるね。

＊

翌日、早番だった立花さんは椿店長に報告がてら昨夜の事件を伝えていた。「朝礼でざっと聞いたけど、梅本さんはお手柄だったわね」

「いえ、そんな」

「消防署の人もほめてたって言ってたわよ」

ほめられるのは嬉しいものの、おじさんの爆笑を思い出して私は軽くどんよりする。

「まったく、人騒がせなロースト屋でしたよ。みんな亥の子餅でも食べたらいいのに」

騒ぎで動揺させられたせいか、立花さんはぷりぷりと憤慨していた。

「それって、先月のお菓子でしたよね」

亥の子餅というのは、お餅の回りに小豆餡ときな粉をまぶした、柔らかな上生菓子だ。旧暦十月の初の亥の日に食べると、万病を払うと言われているらしい。見た目は文字通り猪の仔を模していて、多産の猪にあやかった子孫繁栄の意味が込められている。

「えーと。確か、お茶の席でも使われるって」

急に詰め込んだ知識を途切れ途切れに辿ってみても、答えはわからない。そんな私に、椿店長は続きを教えてくれた。

「そう。亥の子餅は、茶道の炉開きに使われるの。炉開きというのは、お茶のお湯を沸かす炉に火を入れる行事のことね。そして猪は、火伏《ひぶせ》の神である愛宕《あたご》神社のお使いとされているの。だから火にまつわる事故がないようにと、炉開きは初の亥の日に行われるのよ」

「それって、荒神《こうじん》様みたいなものですか」

私は、家の台所に飾ってあるお札《ふだ》を思い出す。確かあれも火の元を守る神様だったはずだ。しかし、立花さんは首を横に振る。

「似てるんですが、ちょっと違います。荒神様は、火とかまどを司《つかさど》る神様。不浄や汚れを火によって浄化し、寄せつけないということから家のお守りになっていることが多いです。そして火伏の神様は、火を伏せると書くように火事を防ぐ神様です」

「つまり、火伏の神様は火事オンリーの神様なんですか」

「はい。だから昔は、炬燵《こたつ》や火鉢に火を入れるときも亥の日を選んだと言いますよ」

亥の子餅を食べて、火の用心。そんなキャッチフレーズが、ふと頭に浮かんだ。

「でも、これにはさらに続きがあります」

立花さんはにやりと笑って、私を見る。

「実は旧暦十月の初の亥の日には、おはぎを食べることもあるんです。その理由、わかりますか？」

「おはぎ？」

また、とんでもないところから球が飛んできたものだ。私は和菓子の連想ゲームに負けまいと、必死に頭を巡らせる。このゲームに大切なのは、イメージと言葉遊び。そしてベタなギャグセンス。

おはぎ。おはぎに関するイメージ。ぼた餅とイコールだということ。牡丹と萩の花からきた名前。師匠が見せた花札。そこには、何が描かれていた？

「い、猪だから牡丹肉でぼた餅、そのつながりでおはぎ！」

「正解。よく出来ました！」

二人にぱちぱちと手を叩かれて、私はがっくりと肩を落とす。だから、火の用心でもなんでもなくて、ただの駄洒落だってば！


その日の終わり、私は再び桂沢さんがケーキを箱詰めしているところを見た。

「またお兄さんに頼まれたんですか？」

近寄って声をかけると、彼女は驚いたような表情で振り返る。というのも、金の林檎はスペースの小さな店舗なので、従業員は基本的に一人なのだ。

「ええ、そう。兄に頼まれて……」

「持って帰るにも、そんな量じゃ大変ですよね。電車の中で潰れませんか」

「いえあの、今日は持って帰らないの」

そう言いながら、持ち帰り用の箱を冷蔵ケースの一番奥にしまう。

「置いていくんですか？」

「その——明日、兄が自分で取りにくるの」

さすがに二日連続で妹に持たせるのは悪いと思ったんだろうか。

「あ、それは良かったですねー。ところでこちらのケーキ、買わせていただいてもいいですか」

おいしいと言われた、金の林檎のケーキ。幸いまだレジ締めはやっていないようなので、迷惑になることはないだろう。

「どれがいいですか」

「じゃあ、モンブランとベイクドチーズケーキを一つずつ」

彼女はかがみこんで、トングで一番前のケーキを掴みにかかる。手前のものからとれば楽なのにな、と私は思った。少なくとも、みつ屋ではそうしている。

「今日中に食べて下さいね」

「はい」

精算をして桂沢さんからケーキの箱を受け取ると、私は自分の店に戻った。

「あら梅本さん、お買い物？」

「はい。金の林檎さんのケーキです。一度食べてみたかったので」

レジ締めの終わった椿店長に、私は箱を見せる。

「でも、店によってお菓子の扱いって違うんですね」

「そう。どんな風に違うの？」

不思議そうに首をかしげた店長に、私は説明した。

「あそこはお願いすると、ショーケースの一番前にあるものを取ってくれるんですよ。手間だと思うけど、その方がお客さんにわかりやすくていいんでしょうか」

「ふうん。それは珍しいやり方ね」

椿店長はちらりと桂沢さんの方を見ると、もう一度首をかしげた。


お菓子の箱を持っていると、特別な日でなくても嬉しくなる。私は従業員用の出口から外へ出ると、通路をのんびりと歩き出した。すると背後に、忙《せわ》しない足音が迫ってくる。追い抜かれざまに見ると、またしても楠田さん。一度知り合ってしまうと、何かと目につくものだ。そしてその両手には、今日も取っ手の部分がちぎれそうになるほど中身の詰まったビニール袋。

（連日、パーティー続き？）

いや、もしかしたら早めの忘年会とか。なんにせよ、パーティーと名のつくものに縁のない私にはうらやましい話だ。

イブに予定はなく、当日には家族でチキンを食べるくらいのクリスマス。そんなクリスマスを、かれこれ十八回も繰り返している私。

なんだかなあ。


「ん？」

家に帰り、お母さんとケーキを半分こしていた私はモンブランを頬張って首をかしげた。洋酒の香りがこれっぽっちも立ってないし、マロンクリームの部分がぽろぽろと剥がれやすい。

「買ってきてもらって悪いけど、これ、あんまりおいしくないわねえ」

「うーん、そうだね」

「このチーズケーキは、すごくおいしいのに」

お母さんの言う通り、ベイクドチーズケーキはかなりおいしかった。けれどモンブランはパサついていて、平均以下の味。

「これなら、近所のかとれあさんの方がおいしいかも」

かとれあさんの作る、古典的だけどしっとりと洋酒のきいたモンブランを思い出し、私はため息をつく。金の林檎には、ちょっとがっかりだ。

「デパートに入ってるからって、おいしいとは限らないのね」

「そうだね。きっとここは、チーズケーキみたいな焼き菓子が得意なんじゃないかな」

でなきゃ桂沢さんの言うように、できたてを午前中に食べないとおいしくないのかも。でも、それってよく考えたら当たり前のことだよね。できたてのお菓子は、おいしくて当たり前。そう、つきたてのお餅が何よりおいしいように。

＊

遅番が続くと、だんだん体が慣れてくる。楠田さんの言葉を身をもって感じつつ、私はざわざわとした売り場に立っていた。

「梅本さん。閉店したあと、ちょっとだけ時間をもらえるかしら」

今日は通し番の店長にたずねられて、私はとりあえずうなずく。

「忙しい時期に、ごめんなさいね」

「いえ、いたって暇ですから」

あーもう、何度この答えを言わせれば気が済むんですか。とも言えずに私は力なく笑う。

ここまでいさぎよく予定がないと、いっそ働いている方が楽だ。目の前を行き交う人びとを眺め、お歳暮の手配をしていれば時間はあっという間に過ぎてゆく。

「えっ？ イブもクリスマス当日も遅番入れたの？」

桜井さんにもまた驚かれて、ついに私はバックヤードで本音を漏らした。

「だって、暇なんですよう。することないんだもん」

「あー……、友達とか合コン的なものは？」

「ナシ。友達は大学の仲間でクリスマスだから、私とは忘年会だねって」

よって残るは家族のみ。とはいっても、今さら枕元でサンタクロースを待つ年齢でもない。

「あっ！ でも立花さんとお茶したんでしょ？ デート的な感じにはならないわけ？」

「乙女は、おいしくてラブリーなケーキ屋さんを教えてくれたよ……」

「あー、ねー……」

さすがの桜井さんにもフォローしきれなかったのか、彼女は黙って私の両肩に手を置いた。

「梅本さん」

「はい？」

「明けない夜はないぜよ」

「なに、それっ！」

「じゃあ、お先でーす」

可愛らしいスマイルと可愛くない言葉を残して、桜井さんは走り去ってゆく。

そして閉店後。椿店長はいつもより数倍早く閉店作業をこなした。そしてまだ周囲の店がレジ締めをしている段階で、私に声をかける。

「梅本さん、ちょっと金の林檎の桂沢さんを呼んできてもらえるかしら」

「はい、わかりました」

一体何の用事だろう。そう思いながら、私は桂沢さんに声をかけた。

「え？　私ですか？」

「すみません、うちの店長がちょっと来てくれないかって言ってるんです」

「いいですけど……」

不安そうな顔で、彼女はみつ屋のショーケースの前に来る。すると椿店長は店内から出てきて、耳元で何かを囁いた。そのとたん、彼女の顔色がさっと変わる。

「じゃあ、三十分後に待ってますから」

店長が駅のそばにある喫茶店の名前を告げると、彼女は硬い表情でうなずいた。

「一体、何を言ったんですか」

さっぱり事態を摑めない私に、店長はつぶやく。

「手のかかるお兄さんね。ここの人は知ってるの？　そう言ったのよ」

＊

桂沢さんのお兄さん。会ったこともないけれど、椿店長は彼のことを知っているのだろうか。しかも、ここの人は知ってるの？　という言葉。秘密にしなければいけないような人って、それこそ師匠と間違えたヤのつく人なのかも。

「そろそろ行きましょうか」

店長にうながされて、私は問題の喫茶店に向かった。

それにしても、と私は隣を歩く店長を見てため息をつく。ショートヘアの似合う小顔に、すらりとしたスタイル。やっぱり、一緒に歩きたくない。

「どうしたの？」

店長と私は、ロッカーが離れている。だから出口で待ち合わせたのだが、店長の私服を見て私は言葉を失った。

「いえ……」

上は紫の革ジャンに、下は太めのダボついたジーンズ。さらに首もとには、なぜか風呂敷柄のスカーフが巻かれている。

(天は二物を与えない、って本当だったのかな)

道ゆく人は、店長を二度見しまくる。最初は色と柄に目を引かれ、さらにコーディネートの珍妙さにもう一度。

立花さんのときとは別の意味で、私はこの場から立ち去りたくてたまらない。

「お待たせしました」

先に来ていた桂沢さんに店長が声をかけると、彼女はやはりぎょっとした表情でこちらを見た。しかし店長は落ち着いて腰を降ろし、私の分まで飲み物を注文する。

「さて、ここに来てくれたということは、私の言いたいことがおわかりだと思うのだけど」

店長の言葉に、桂沢さんはこくりとうなずいた。

「最初に、ひとつだけ確認しておきたいの。あなたは派遣社員だって聞いたけど、これはあなたの一存でしたことなのかしら。それとも本社から言われたからやったの？」

「……言われました。でも、会社本体からじゃありません。私のいる店を取り仕切ってるエリアマネージャーからです」

「良かった。それならいくつか対処の方法があるわね」

コーヒーを一口飲んで、店長は微笑む。

「あのう、すみません。内容がこれっぽっちもわからないんですけど」

おそるおそる口を挟むと、二人が揃って私を見た。

「やっぱり、梅本さんは兄のことを知らないんですね」

「知らないも何も、私は桂沢さんと会ったのだってつい最近ですよ。お兄さんのことなんて、知るはずないじゃないですか」

ココアをずるずるとすすって、私は桂沢さんを見つめる。彼女は申し訳なさそうな顔をして、コーヒーをかき回す。

「あの、梅本さん。私の言ってる兄って、本当の兄のことじゃないんですよ」

「え。てことは、血がつながってないんですか」

「えっと、そうじゃなくて。兄っていうのは料理の隠語で、昨日作ったものを指す言葉なんです」

隠語? ココアをごくりと飲み下して、私は椿店長の方を向いた。すると店長は、軽くうなずく。

「ええ。兄貴とか兄いとか呼び方は様々だけれど、『先に生まれた』という意味は同じ」

「じゃあ、古いお菓子を持ち帰ってたんですか」

「いえ。持ち帰ったのは梅本さんにロッカールームで会った日が初めてです。それまでは――」

「さりげなく新品と一緒に並べて売っていた」

椿店長の言葉に、桂沢さんはうなずく。新品と一緒に並べるという意味が摑めず、私は自分が上生菓子を売るときの動きをシミュレートした。商品を取って、箱に詰めて、そこにシールを貼って。

「製造年月日と、賞味期限!」

生菓子の箱に貼るシールには、基本的にその日の刻印しかしない。つまり、日付の改ざんが行われていたということだ。

「東京百貨店は、生菓子の翌日販売を認めていないわ。ただ」

「ただ？」

「限りなく焼き菓子に近いものなどは、稀《まれ》に黙認されていることもあるの。でも金の林檎さんは、生クリームを使ったものまで並べていた」

それは行為の上でも、文字通りの意味でもまずい。私は舌触りの悪いモンブランを思い出して、悲しくなった。

「金の林檎は、売り上げに厳しい会社です。けれど、ここのエリアは売り上げが落ちていた。そこでエリアマネージャーは、各店舗から出るロスを再び売るように指示したんです」

ロス。それは廃棄処分を指す言葉。そしてそのロスを出したくないあまり、ロースト屋は肉を焼きまくったのだ。そのことに気づいたとき、私は楠田さんの言った「ロスを出さない店長」のすごさを理解する。

「指示はいつから？」

「夏の落ち込みを取り返せなかった、九月からです」

桂沢さんは、辛そうな表情を浮かべる。

「私はそんなこと、したくなかったんです。でも従わないと解雇するって言われて、仕方なくやっていました。交代に来ている派遣の子も、同じです」

手口はごく単純で、その日売れ残ったケーキを廃棄するふりをして容器に詰め、そのまま冷蔵ケースの目立たないところに入れる。ただそれだけ。そして翌朝、新しく届いたお菓子と同じ列の一番手前に置くのだと彼女は説明した。

しかし、私はふと気になることがあった。

「一番手前？」

「ええ。できるだけ早く売ってしまいたいから」

私がケーキを買いに行ったとき、桂沢さんは彼女から向かって一番奥のケーキを取ってくれた。そのことを思い出して、少しだけ救われた気分になる。

「でも、だったらなんで私と会ったときは、ケーキを持ち帰りにしていたんですか？」

私の疑問に、今度は椿店長が答えた。

「それはおそらく、火事があったからよ」

「どういうことです」

「火事があったら、現場検証というほどじゃなくても、調査が入るでしょう。消防の人ならそれなりにごまかせるかもしれないけど、もし百貨店側の人が店舗チェックを始めたら、冷蔵ケースにしまわれた兄が見つかってしまうわ」

そうか。百貨店側は生菓子の翌日販売を認めてないんだから、閉店後にしまいこまれていた時点でアウトなんだ。

「おっしゃる通りの理由で、私は急遽《きゆうきよ》兄を持ち帰ることにしました。でも、持ち帰り用の箱に詰めているうちに、自分のやっていることが本当に嫌になって……」

桂沢さんの目から、涙がこぼれる。

「だからあの日、ロッカールームで話しかけてきてくれた梅本さんに、もうどうにでもなれという気持ちになって、『兄です』って告白してしまったんです」

「でも、梅本さんはその隠語を知らなかった」

「ええ。そこで我に返った私は、再び保身に回りました。でも、あなたは無邪気にケーキを買いに来てくれた」

しゃくりあげはじめた彼女に、私はポケットティッシュを差し出す。

「ケーキ、一番前から取ってくれましたよね」

「でもおいしくなかったでしょう？　あの日、ケースの中には兄と大兄しかいなかったんですもの」

本当にごめんなさい。そう言って、桂沢さんはテーブルにつくほど頭を下げた。

桂沢さんと別れた後、私は店長と並んで歩いている。

「ごめんなさいね。フロアで話したら誰に聞こえてしまうかわからなかったから、梅本さんにも話せなくって」

「気にしてません。それより、桂沢さんはどうなるんでしょうか」

「悪いのは上の人だから、出来るかぎり彼女を守る方向でなんとかしたいと思うけど、現状を維持できるかは正直わからないわ」

私は黙ってうなずく。そもそもこの件が表に出たら、金の林檎の出店自体がなくなるかもしれないのだ。

「ただ、これを公表するのは東京百貨店にとっても大きなマイナスよね。そう考えると、灰色の決断が下されるかもしれないわ」

まあ、なんとかやってみるわ。椿店長はそう言って、大きく伸びをした。

「今日はつきあってくれて、本当にありがとう」

「いえ、そんな」

「梅本さんが彼女に話しかけなければ、もっとひどい事態になっていたかもしれないわ。だから、これもお手柄よ」

ほっぺたをむにっと摑まれて、私は困惑する。

「あひがとうごはいます」

だから、また二度見されてるんですってば。

＊

翌日。椿店長から報告を受けたフロア長は、金の林檎との間で密談を交わしたらしく、兄の事件がすぐに表沙汰になることは回避された。

「この年末のかき入れどきに、そんなこと公表してられるかって感じなんだろうね。しかも今日はイブだし」

話を聞いた立花さんは、ため息をつきながら肩をすくめる。そう、今日は繁忙期まっただ中のクリスマスイブ。本来なら、それなりに楽しく仕事をしているはずだったのだけど。

「そのかわり、金の林檎は年末年始の販売を停止。売り場も生菓子をなくして縮小されるらしいですよ」

私はどんよりとした気分で答える。

「仕入れ値は、東京百貨店に勉強させられるんだろうね」

おおこわ、と立花さんはただでさえ狭いバックヤードで大げさな動きをした。

「百貨店的には、今まで知らないで買った人にお詫びとかしなくていいんですか」

桂沢さんが首にならずに済んだのは嬉しいけど、ちょっと倫理的な部分ではひっかかる。

「まあ、幸いクレームも来てないし、彼女も指示に従わないで大兄だけは売らなかったそうだから、なかったこととして片付けられるんだろうね」

「それでいいんだ……」

「消費者の立場からすると、許せないだろうね。でも悲しいことに、食品業界では多分すごく当たり前のことなんだ。もちろん、みつ屋も僕もそんなことはしたことないけど」

立花さんは、辛そうな表情を浮かべた。

「でもまあ、どう言っても嘘は嘘だし、裏取引は裏取引だよね」

「裏取引……」

悲しいけど、暴露したところでどうなる問題じゃないみたいだね。そう言って立花さんは、バックヤードを出ようとした。

そのとき、私の頭の中に引っかかる光景があった。

「立花さん、待って下さい」

「なに？」

「今夜、もし暇だったらつきあってほしいかもしれないんですけど」

クリスマスイブ。私は十八年の人生で初めて、男性を誘った。

＊

目の前を歩く小さな背中。それを追いながら立花さんはつぶやく。

「これが、毎日？」

「ええ。少なくとも私が遅番に入るようになってからは」

閉店後、私たちは早めに支度を終えて楠田さんを観察した。すると楠田さんはお酒売り場から帰る途中で、一個百円のお弁当屋に立ち寄り、二十個を二百円という信じられない値段にまけさせて買った。慣れた様子で商品を手渡すお弁当屋の人を見るだに、取引の存在が感じられる。

「問題は、安くしてもらったお弁当の行き先です」

「大家族で食べてる、とか」

「楠田さんは一人暮らしだって言ってました」

イルミネーションが華やかに輝く街を、私たちは隠密のように歩いた。周囲には、今日明日が勝負とばかりに着飾った男の子や女の子。その中を、私たちは厳しい表情ですり抜けていく。

日々、テレビで報道される食品に関しての悲しいニュース。産地や日付の偽装に、果ては違う素材の混ぜ込みや回収後の再販売。食べ物を粗末にしてはいけないし、できるだけ捨てたくないのならわかる。でもそれだったらもっと違うやり方があるんじゃないかと思うのだけど。

「自分のところの商品じゃないから、改ざんとかではないと思うんですけど」

「転売、してるのかな」

両手に一杯のお弁当を下げたまま、楠田さんは駅から遠ざかる。その迷いのない足取りは、目的地があることを感じさせた。

楠田さんは、悪いことをする人には思えない。でも桂沢さんのように、誰かに脅《おど》されたりということだって考えられる。そしてもし私の不安が悪い形で的中してしまったら、椿店長は悲しむに違いない。

(だったら、未然に防ぎたい)

とりあえず店の外で現場を押さえて説得すれば、誰にも知られずに止められるかも。私はそう考えて、楠田さんの後を追うことにしたのだ。

「なんか、繁華街から離れていくね」

立花さんの言うように、楠田さんはうす暗い道に入ってゆく。裏取引の相手は、やはり顔が見えにくい場所で待っているのだろうか。

そしてさらに先へと進むと、突き当たりに『グループホーム』と書かれた集合住宅のようなものが見えた。確かグループホームというのは、老人や障害者など一人で暮らすには困難な人たちのための家だ。

「じゃあ、もしかして……」

ぼんやりとした外灯の下で、楠田さんはその玄関のインターフォンを押す。

「いつもありがとうねえ」

家から出てきたおばあさんが、よろよろと楠田さんに近づいた。

「本当に助かるよ」

耳が遠いのか、すごく大きな声で喋る。楠田さんの声は聞こえないけれど、どうやら玄関で押し問答をしているらしい。

「いいからいいから。今日はクリスマスイブでしょう？　あなたのために皆でお菓子を焼いたんだよ。材料は安いものばかりだけどさ、それなりにおいしくできたんだ。食べていってくれないと」

その言葉に折れたのか、楠田さんはうなずく。

「大丈夫。ちゃんとあなたのお母さんの分も、お供えしておいたから。一緒に食べようねえ」

そして楠田さんは、まるで小さな子供のように手を引かれて家の中に入っていった。

よかった。本当に良かった。お弁当の行き先に胸を撫で下ろして、私はうんうんとうなずく。そして次の瞬間、楠田さんを少しでも疑ったことを激しく後悔した。

(私のばかばかばか！　超いい人じゃない。何やってんの！　しかもイブの夜遅くに、立花さんまでつきあわせて迷惑かけて！)

本当にすみません。そう言って謝ろうと振り返った瞬間、私は暗黒に包まれた。

「アンちゃあああんっ!!」

背の高い立花さんに抱きしめられたのだと気づくまで、数秒。しかし赤面する間もなく、万力《まんりき》のような力で息が止まりかける。

「た、ちばな、さん」

「もうっ！　なんていいものを見せてくれたのっ!?　まさに聖夜。素晴らしいよっ！」

感激のあまり盛大に鼻水をすすりながら、立花さんは私をぎゅうぎゅうと締めつけつづける。えーと、ごめん。そろそろ限界かも。

「……ごふっ」

女子とは思えぬ怪音を発して、私は立花さんの体をタップした。

「え？　何？」

ギブ。ギブアップだってば！

＊

クリスマス当日。

私は駅までの道を歩きながら、ふと八百屋さんの店先を見る。ここの八百屋さんには、いつも『おつとめ品コーナー』があって、少し鮮度の落ちたものが安い値段で売られている。さらに傷んだ葉ものは『ご自由にお持ち下さい』と書かれた段ボールに入れられ、ウサギや小鳥の餌《えさ》として近所の人に重宝されているのだ。

（きっと、こういう感じであってほしいんだよね）

食べ物を捨てるのは嫌だけど、人の健康を害しそうな売り方も嫌だ。だったら、食品がその価値を失いかけた時点でお客に判断を仰げばいいのだ。

「よかったら持ってって」

その一言で、私だったら絶対リピーターになる。でもそれって、意地汚いかなあ。

意外なことに、クリスマスでも和菓子は売れる。特に上生菓子が。

驚いた私に、桜井さんが説明してくれた。

「多分だけど、クリスマスってゴージャスな食事じゃない？　でもってケーキも用意してあるんだろうけど、小さくて可愛い上生菓子もサブで用意するんじゃないかな」

「あー、だから『柚子香』が一番売れるんですね」

「そうそう、可愛いから」

じゃあ丁寧に包んであげないとね。そんな話をしているうちに、桜井さんが上がる時間が近づいてきた。

「そろそろ上がっていいわよ」

今日は通し番の椿店長と、遅番の立花さんのダブルヘッダーだから、後は任せて。私が言うと、桜井さんは「お先です」とバックヤードに荷物を取りに行った。

「さてと」

次のお客さんに備えて背筋を伸ばした私は、近くの通路にまた怪しげな背広の男性を見つける。和菓子など買いそうもない雰囲気の男性は、手ぶらで周囲の店をきょろきょろと見回して、携帯電話に何か打ち込んでいた。

(こんな日にまで仕事なんて、バイヤーさんも大変だなあ)

軽い連帯感を覚えつつ眺めていると、その男性に桜井さんが近寄っていく。彼女に気づいた男性は、世にも幸せそうな笑顔を浮かべ、出口で待ってるというジェスチャーをした。

(彼氏のお迎えですかー!!)

人知れず打ちのめされた私は、ショーケースに突っ伏したい気分になる。しかしそんな私に、お客さまは容赦なく声をかける。

「すいません、そこの柚子のお菓子なんですけど――」

「はいっ」

よろこんでー。そう叫びそうな勢いで、私はお客さんに駆け寄っていった。

怒濤《どとう》のクリスマスが幕を閉じ、さすがにぐったりと疲れたところで椿店長が私たちを呼ぶ。

「えー、本日は皆さんお疲れさまでした。というわけで、プレゼントがわりではないですけど、今日はもう上がって下さい」

いつもより一時間も早い上がりに、立花さんは質問した。

「でも、店長は遅くなってしまいませんか。皆でやって早く終われるなら、その方がいいと思うんですけど」

「ありがとう。でも大丈夫よ。包材の補充や整理は、明日の朝やってもらうから」

では、遠慮なく。私たちは二人揃って頭を下げる。

「あ、それと梅本さん」

「はい？」

「洋菓子と和菓子の違いを思い出したから、言っておくわ。それは、とても単純なこと。この国の歴史よ。この国の気候や湿度に合わせ、この国で採れる物を使い、この国の人びとの冠婚葬祭を彩る。それが和菓子の役目」

この間は言うのを忘れちゃって、と椿店長は笑う。

「冠婚葬祭……」

おめでたいときには、細工物の砂糖菓子や紅白のお饅頭。悲しいときには葬式饅頭。お仏壇に供えるのは、洋菓子よりも保存のきく干菓子や最中。

「この国の風土に根ざしているからこそ、和菓子は上生菓子でさえ常温保存が基本なんですよ。ま、今は保湿もできるから冷蔵ケースを使うところも多いですけどね」

それにゼリーは夏に溶けちゃうけど、寒天は溶けないでしょう？　隣で立花さんが得意げに言った。

＊

「ところでアンちゃん、出口で待っててくれる？　時間は取らせないから」

ロッカールームに入る前、立花さんにそう言われて私は首をかしげる。楠田さんの件は口外しないということで落ち着いたし、他に何かあっただろうか。

クリスマスだからといって、特に代わり映えのしない服に着替えて私は出口に向かう。するとそこには、立花さんとともに師匠が待っていた。

「メリークリスマス、アンコちゃん！」

そう言って師匠は、お菓子の箱を私にくれる。

「アンコちゃん、って」

「ごめんねえ。僕がアンちゃんの話してたら、師匠までそう呼ぶようになっちゃって。でもって、どうしてもアンちゃんにプレゼントするんだってきかなくってさ」

いや、ていうか微妙に間違ってるんで。しかしそれを訂正するのも面倒だったので、私は師匠に頭を下げた。

「ありがとうございます。見てもいいですか？」

もちろん、とうなずく師匠の前で私は箱を開ける。すると中には、うぐいす豆の鹿の子が並んでいた。三角錐《さんかくすい》の形に盛られた緑色のてっぺんには、ちかりと光る金箔。これは、明らかにクリスマスツリーを模している。

「名前は星の夜と書いて、『星夜』」

「わかった。きよしこの夜の『聖夜』の音《おん》にひっかけてるんでしょう」

「当たり。さすがアンコちゃんだ」

にこにこ笑う師匠は、いつものようにヤクザファッションだけど何だか可愛い。

「あと、これは僕から」

立花さんは、その箱の隅に入った家の形のお菓子を指さす。

「これは、『田舎家』……？」

でも本来の『田舎家』には、型抜きした星なんて載っていない。

「うん。でも中には苺を煮詰めた苺ペーストが入れてあるんだ。昨日見た光景があんまりにも温かかったから、名前は『甘露家《かんろや》』にしたよ」

甘露、は甘いものを指す言葉。それに家。楠田さんの入っていった家を思い出して、私はつぶやく。

「ホーム」

「そう。スイートホーム」

よかったらアンちゃんもご家族と食べてね。そう言い残して、立花さんは師匠と去っていった。


駅からの帰り道、私は二人の作ったお菓子を思ってくすりと笑う。

和菓子職人って、なんて自由なんだろう。

和洋折衷なんて枠を超えて、この国に広まっているものをモチーフとして生かす。そして現在ある材料を生かして、おいしいお菓子を作る。柿があれば柿を使い、苺があれば苺を使う、ただそれだけ。

和菓子は自由でおいしくて、人生に色を添える。きっと外国にもその国なりのお菓子があって、様々な局面で人々のテーブルを彩っているんだろうな。

そんなことを考えながら、自分の家の前に立つ。暖かい光の漏れる、平凡だけど愛《いと》しの我が家。私はインターフォンを押して、元気な声を上げた。

「ただいまー!」

辻占の行方

香ばしい匂いが漂ってくる。

「杏子、もう焼けた？」

「うーん、もうちょっと」

私は鼻をひくつかせながら、オーブントースターの中を覗き込んだ。ぷっくりと膨れつつあるお餅の中心が、あと少しで割れる。

「あ」

割れた。そこからぷしゅっと空気が抜けたところで、網に貼りつかないよう素早く取り上げる。それが数枚たまったところで、お母さんが待つ鍋のところに持ってゆく。

「俺のは焼かないでくれよー」

お兄ちゃんが年賀状を仕分けながら叫んだ。

「わかってるってば」

わざわざ別鍋に煮立てたお出汁《だし》の中では、お兄ちゃん用のお餅がとろとろと煮溶けている。私も柔らかいお餅は好きだけど、お雑煮《ぞうに》の汁が濁るのはちょっともったいない。せっかくの新年なんだし、最初に口にするなら澄んだもの。そんな気がするのだ。

朱塗りのお椀の中に、焼いたお餅を入れて出汁を張る。具は鶏肉と小松菜と蒲鉾《かまぼこ》。最後に柚子の皮をちょこんとのっけて出来上がり。どこにでもある、関東風のお雑煮が我が家の定番だ。

「えーと、明けましておめでとうございます」

皆が席についたところで、軽く頭を下げる。

「んじゃまあ、今年も家族全員の健康を祈って」

お父さんが立ち上がって、お屠蘇《とそ》の入った容器を持ち上げた。本当は漆《うるし》塗りの屠蘇器に入れるはずなのだが、数年前にお母さんが落として割ってしまってからは、小さな急須が代打として登場している。

「ほら、杏子」

理由はわからないけど、年齢の若い順に飲むと決められているお屠蘇。特に好きな味ではないけれど、飲んだときのとろっと甘い感じは悪くないと思う。ていうか、これって要するにみりんなんだよね。いつも料理にしか使わないから、お酒だってことを忘れてるけど。

全員がお屠蘇を飲み終わったところで、ようやく儀式は終了。あとは銘々がだらだらと好きなものを食べるだけだ。

「今年は当たってるかしらね」

お年玉くじつきの年賀状を眺めて、お母さんがつぶやく。

「気が早いよ。発表はずっと先だぞ」

「でもほら、去年は珍しく当たったじゃない？　だからくじ運がついてきたのかなって思っちゃったのよ」

くじ運ねえ。私は自分あての年賀状をめくりながら、栗きんとんをつまむ。

＊

初詣《はつもうで》は、地元の友達と連れ立って近所の神社に行った。

「そういえば、杏子って和菓子屋さんでバイトしてるんだっけ」

「うん。けっこう面白いよ。ケーキとおんなじで、季節ごとのお菓子とかあって」

「へえ、そうなんだ」

がらがらと鈴を鳴らしたあと、お賽銭《さいせん》を投げて眼を閉じる。毎年祈るのは世界平和と、家族の健康。だって、世界が平和なら多分私も幸せだと思うから。

「ねえ、おみくじ引こうよ」

占いを信じる方ではないけど、おみくじは嫌いじゃない。百円を入れて木箱の中を探り、小さく畳まれたくじをつまみ出す。

「あっ、大吉！」

「えー？　私は凶だよー！」

「いいじゃん、凶は大吉に転じるっていうし」

友達の結果を聞きながら、私も自分のおみくじを開く。

「ねえ、杏子はどうだった？」

覗き込んでくる子に、ひらりと紙を渡した。

「あー……、『末吉』」

「喜んでいいのかどうか、正直微妙だよねえ」

ふと、頭の中に国語の授業で習った俳句がよぎる。えーと、あれは確か『めでたさも中くらいなりおらが春』だっけか。意味は忘れちゃったけど、そういう感じが近いかも。

「でもでも、『失物《うせもの》・見つかる』って書いてあるよ」

フォローの言葉に、私は力なく笑う。

「ねえねえ、『待ち人』は？」

「やだー、私『来《きた》らず』だよ！」

「『来る。すぐ』だって！」

そう言えば明日、初詣の約束してるんだよねえ。そんな話題で盛り上がる友達の隣で、私は自分のおみくじに首をかしげた。

ていうか、『待ち人・来るがわかりにくし』って、どういう意味？

女子的には、そこ、すごーく気になるんですけど。

＊

新年は二日から出勤した。

「三が日はお休みしてもいいのよ」と椿店長は言ってくれたけれど、どっちにしろすることもなかったので、私はシフト表を埋めた。

（家にいたら、寝正月決定だもんね）

テレビを見ておせちを食べて、ごろごろ。そうやって無意味に体重を増やすよりも、仕事をしていた方が有意義に違いない。

というのはほんの建て前で、クリスマスにしろお正月にしろ、特定の相手がいないことには盛り上がらないし、どこかへ出かけようという気にもならない。まして我が家は里帰りをするわけでもないから、とにかく暇なのだ。

「えー？　でも私はレポートがたまっててサイアクだよー」

同じく彼のいない友達はそう言って頭を抱えていたけど、私はそれすらもちょっとうらやましい。誰かに何かを「やりなさい」と言われているうちは、この感じに気がつかないんだろうな。

「お正月が暇？　それって超うらやましいよー!!」

バックヤードで顔を合わせた立花さんは、開口一番そう叫んだ。

「僕なんかこの業界に入ってこのかた、心静かにお正月を迎えたことなんてないんだからね」

「師匠のところにいたときも、忙しかったんですか」

「もちろん！　師匠のお菓子はお正月の来客にも重宝するから、三十一日の夜までお菓子を作ってたし」

明けたら明けたで、接客しなくちゃいけないしね。そう言いながら、立花さんはちらりと私物の置かれた棚を見る。

「でもまあ、元日のデパートさんには負けるけど」

そこに置かれていたのは、東京百貨店の紙袋。マチが広めで大きなそれは、袋の口がホッチキスで留められていた。

「ああ、福袋」

毎年、お正月のニュースで取り上げられる福袋の争奪戦。それはこのデパートでも変わらないらしい。

「昨日はすごかったんですか」

「すごいなんてもんじゃないよ。僕たちが出勤してくる前から、外に行列が出来ててさあ」

なんでも、行列はこの建物を二周するほどの人出だったらしい。

「じゃあこっちはわりと暇だったんじゃないですか」

「そうでもないよ。まず朝は、違うルートで福袋の会場へと向かおうとする人で大混乱だし、終わったら終わったで、地下でなんかおいしいものでも買って帰ろうとする人で大賑わい」

なるほど。福袋を販売する催事場は上の方だから、正面玄関以外にも階段やエスカレーターを駆使して行列を回避しようとする人もいるわけだ。

「大変でしたね」

「うん。しかも午前中は椿店長がそれに参戦してたから、一時期お店はてんてこ舞いだったよ」

「あれ。でも桜井さんはいたんですよね」

「でも午後は彼と初詣だって、帰っちゃったから」

ま、そんなもんでしょう。私は店長の戦利品を眺めつつ、エプロンの紐をきゅっと締めた。


「あ、梅本さん。明けましておめでとう！」

「おめでとうございます。今年もよろしくお願いします」

ぺこりと頭を下げると、椿店長は私にぽち袋のようなものを差し出した。

「大入り袋じゃなくて悪いけど、ほんの新年の気持ち」

「ありがとうございます」

軽くてぽこっと膨らんだ袋を開けると、中にはお菓子が一つと紐の結ばれた五円玉が入っている。

「これって、フォーチュンクッキーですか」

円形の生地をくしゃりと二つ折りにした焼き菓子。これは確か、中華料理屋さんで見たことがある。

「当たりだけど外れ。フォーチュンクッキーは、もともと『辻占《つじうら》』という名前の和菓子なのよ」

「あ、そうなんですか」

「大正時代に日系人が『辻占』をもとに作ったのがフォーチュンクッキーだと言われているわ」

逆輸入みたいに思われがちだけど、こっちが元祖なのよ。店長の言葉にうなずきながら『辻占』を割ろうとすると、いきなり立花さんが声を上げた。

「ああ！」

「なんですか」

「いえ。せっかくの占いなので、あとでゆっくり見たらいいんじゃないかと」

お店に出ている間は口調の硬い立花さんだが、最近は彼の言葉を頭の中で翻訳することができるようになった。おそらく、こう言いたいのだろう。

「ああん、ダメダメ！　恋占いかもしれないいんだから、そういうのはそっと一人で開かなくっちゃ！」

ちなみに店長によると、『辻占』というのはもともと、占いの紙そのものを指した言葉らしい。それを煎餅に包んだものが、そのまま同じ名前になった。昔は花街などを中心に売られていたせいか、内容は色恋にまつわるものが主だったそうだが、近年は誰が買ってもいいような占いに変化しているのだという。

(色恋、ねえ……)

時代が変わっても、女性が占いで見たがる答えは一つってことか。私はぽち袋をポケットにしまうと、小さくため息をついた。

とはいえ『辻占』は、従業員のためだけに作られたのではない。『みつ屋』の新年用菓子として、袋入りで販売されているのだ。賞味期限も長いし、話題の糸口にもなる。来客に出すにはもってこいなのだろう。その証拠に、『辻占』はなかなかの売れ行きだ。

「ええと、生菓子を各二つと、ついでにこれも」

お値段も五百円と手頃なせいか、おまけのように買っていく人が多い。

「ちっちゃい福袋みたいなものよね」

椿店長の言葉に、私はうなずく。

「皆さん、福袋がお好きですよね」

「あら、梅本さんは好きじゃないの？」

「嫌いってわけじゃないんですが、好きってほどでもなくて」

占いをあまり信じないタイプだからということもあるけど、それより何より、私には福袋を買うことができない理由があるのだ。

それは、サイズが合うという保証がないから。

女性が群がる福袋といえば、たいがいはブランドの服や雑貨の詰め合わせだろう。しかし、それにためらわず手を伸ばせるのは、いわゆるMサイズが入る体型の人だけだと思う。ブランドによってはSからLまでの袋が用意されていることもあるけど、それだってあんまり当てにはならない。なぜなら、お洒落なブランドというのは大抵Lが小さめに作られているからだ。

着られないかもしれない服の入っている袋なんて、福じゃなくてただのブラックボックスに過ぎない。そう思うからこそ、私は福袋と縁のない人生を歩んできたわけで。

(服のサイズくらい、国内統一規格にしてほしいものだけど)

そんなことを考えていると、隣で椿店長が生き生きとした声を上げた。

「でも福袋、私は大好きよ！」

そりゃあそうでしょう。私は大きくうなずく。

「あれって、ある種の賭けですもんね」

賭け事が大好きだから、毎年熱くなるんだろう。そう考えていると、店長は意外にも首を横に振った。

「それもあるけど、やっぱりコーディネートよ」

「コーディネート？」

「ええ。中身がセットになっているから、組み合わせを考える必要がなくて楽でしょう。割安な上に簡単にお洒落になれるから、そこが気に入ってるの」

それを聞いて、私はふと疑問に思う。

「……もしかして店長って、福袋を何個か買って、それで一冬乗り切ってたりします？」

「あらやだ。どうしてわかったのかしら」

わからいでか。あの珍妙なファッションセンスは、このせいだったのだ。

「店長、コーディネートっていうのは――」

思わず余計な忠告をしそうになったとき、バックヤードに行っていた立花さんが何かを持って戻って来た。

「そうそう、これを忘れるところでした」

カウンターの上に置いた紙包みを開くと、中から新品の羽子板のようなものが二枚出てくる。それを目にした瞬間、店長の表情がさっと曇った。

「これ――」

「新春の飾りにどうかと思いまして」

店長はその板を手に取ると、素早くひっくり返す。そして小さくため息をついた。

「新品なのね。どこで手に入れたの？」

「実は、自作なんです」

「手作りの羽子板なんて、お正月っぽくて粋ですね」

私がうなずくと、立花さんは笑う。

「違いますよ。これは羽子板じゃなくて、菓子木型です」

「菓子木型？」

首をひねると、立花さんが合わさった二枚を開いてくれた。するとその内の一枚は平らで、もう一枚はよくお仏壇で目にするような菊の干菓子の形にくぼんでいる。

「ここにお菓子の材料を入れて、閉じるんです」

「ああ。干菓子って、そうやって作るんですね」

立花さんはうなずくと、くぼんだ方の型だけを指さした。

「干菓子の場合は打ち出しと言って二枚使いますけど、こちらのくぼんでいる方だけを使って生菓子も作るんですよ」

こう、押しつけるんです。説明している立花さんの隣で、椿店長は平らな方を手に取ってつぶやく。

「銘は『型柑《かん》』。橘《たちばな》ってことかしら」

「あ、そうです。よくわかりましたね」

「銘？」

再び謎の単語に出会った私は、頭の上にクエスチョンマークを浮かべた。そんな私に、店長は板の隅に彫られた文字を示す。

「銘っていうのは、要するに作った人のサインみたいなものよ。日本刀とかで聞いたことはないかしら」

「ああ、わかりました。包丁とかにも入ってますよね」

私がうなずくと、その先を立花さんが続けた。

「和菓子の木型は、もともと木型職人が専門で作っていたものなんです。その際、『型〜』という銘をつけるんですが、自分の場合は立花を『橘』に言い換えて、柑橘《かんきつ》系の実をつけるということで『型柑』にしてみました」

「木型職人さん、っていう仕事、初めて聞きました」

「今は後継者不足などで廃《すた》れつつありますけどね」

だから拙《つたな》いなりに作ってみようと思いまして。そう言って立花さんはショーケースの中に菓子木型を飾った。紅色の布の上に置かれた木型は、新品であってもなかなか風情を感じさせる。

「うん。お正月って感じがしますね」

「そう言ってもらえると、作った甲斐があります」

手先が器用なのってうらやましいな。私は自分のウインナーのような指を見つめて思う。まあ、立花さんはもともと職人志望だから器用で当然なんだけど。

＊

二日の午後は、デパ地下もそれなりに賑わっている。駅に近いから、帰省や初詣のついでに寄る人が多いのだ。そのせいか、売れ線はいつものお惣菜よりも手土産系。お出かけ着に身を包んだ人々は、皆楽しそうに箱入りのお菓子なんかを買って行く。

いつもとはちょっと違う華やいだ雰囲気に、私はなんだか楽しくなってきた。クリスマスや年末とは違い、お客さんの表情に余裕があるのもいい。家で寝正月を選ばなくて正解だな。そんなことを思いながら店頭に立っていると、一人の中年女性が近づいて来た。

「いらっしゃいませ」

私が軽く頭を下げると、その人はみつ屋の紙袋をカウンターの上に載せる。

「あの、これってどうなってるのかしら」

「はい？」

「これ、昨日ここで買っていったお菓子なんですけど、ちょっとおかしいの」

傷んでいたとか？　それともまさかの異物混入？　私の頭の中に、瞬時に悪い想像が広がった。

つかの間慌てそうになるものの、私は深呼吸をしてお客さまを見る。

「クレームのときは、その内容はさておき、まずお客さまをきちんと見ることだよ」

でないと余計に怒らせたりして、事態がこじれるからね。お酒売り場の楠田さんは、そう教えてくれた。高額な商品を取り違えてもあまり怒らない人もいれば、包装紙の皺一つで激怒する人もいる。

「要は、そのお客さまが何を求めてここまで足を運んだのかってことさ」

ただの文句なら、デパートに電話をかければいい。そうすれば外商の担当さんが、これ以上ないというほど丁寧なお詫びをし、さらには粗品が家に届くことだろう。けれどもう一度お店に来るということは、それなりの目的があるはずだと楠田さんは説明する。

「直に売った人間に謝罪してほしい、品物を実際に見て取り替えたい、きちんとした説明を聞きたい。理由は色々あるよ」

だからこそ、まずは相手の顔を見ること。『クレーム』の一言に怯えて、目も合わせずに対応したら販売員として失格だよ。

その言葉を思い出しながら、目の前の女性を見る。困惑はしているけど、ひどく怒ってはいないみたいだ。でも、せっかくの三が日にわざわざもう一度来たということは、代わりの品をお求めなのかも。

ちょうど椿店長は休憩で席を外している。ということは、もう一人の社員である立花さんを呼ばなければ。

「申し訳ありませんが、少々お待ち下さい。ただいま責任者を呼びますので」

今度は深く頭を下げて、生菓子の並べ替えをしていた立花さんに声をかけた。

「別に誰かがお腹を壊したとか、そういうのじゃないからいいんだけど」

ほっと胸を撫で下ろす私たちの前に、お客さまは袋の中から辻占を取り出す。

「でも、なんだか新年早々ついてないような気になっちゃったのよね」

「ついてない……？」

確か辻占には、悪いことが書かれた紙なんて入っていなかったはず。首をかしげる私の前に、お客さまは紙をひらりと差し出した。

「そうよ。だって割っても割ってもこれなんですもの」

裏返しかな。よく見ようと受け取ると、裏側にも文字はない。

「え？」

悪いことばかりか、絵すら見えない。私と立花さんが困惑する目の前で、お客さまは袋の中の辻占を一つ取り出して、ぱきりと割って見せた。そして中の紙を広げると、やはりそれも同じ結果。

「ほらね。白紙なのよ、ぜーんぶ」

「あ……」

これはちょっと、想像していなかった。言葉を失う私の前で、女性は苦笑する。

「一つ二つならよかったんだけど」

取り替えて下さるかしら？　そう言って昨日付けのレシートを差し出すお客さまに、私たちは何度も頭を下げた。

＊

「白紙？」

休憩から戻って来た店長は、目を丸くして袋を覗き込む。

「さっき本社に連絡したら、各店から同じような報告が上がってました。どうやら三十日に入荷した辻占は、工場の手違いで白紙のものがあったとか」

そこで立花さんと私は、店頭からその日の入荷分を慌てて取り下げたのだ。

「そんなことってあるのね」

椿店長はため息をついて、白紙の占いを見つめた。

「せっかくのお正月なのに、お客さまにご迷惑をかけてしまったのね。立花さん、お詫びの他に何かおつけした？」

「はい。桃山やどら焼きなどを見繕《みつくろ》ってお持ち帰りいただきました」

適当に日持ちがして、誰にでも好まれそうなお菓子。お詫びの際には、やはりそういったものがふさわしいようだ。

「ちなみに、当店では同日入荷の辻占をあと五袋販売しています。なのであと五名様は、いわ」

「そうね。あるいは、他の店舗からのクレームが持ち込まれることも考えておいた方が覚悟しておいた方が」

店長は素早くクレーム処理の計画を立てると、軽く背筋を伸ばした。

「でも占いが白紙っていうのも、ちょっと面白いですよね」

「あら。何で？」

「未来が自由、って気がしませんか」

占いに縛られるのが好きではない私としては、白紙もありだと思うんです。そう説明すると店長は、納得したようにうなずいた。

「それ、いいわね。次にこのクレームでいらっしゃったお客さまには、お詫びとともにそう言ってみようかしら」

なんとなく、辻占を買ったお客さんにはがっかりしてほしくない。私は白い紙切れを、じっと見つめた。見つめていたら、自分の未来が見えてくるだろうか。

(今年。ていうか将来って、私は何をしてるんだろう……)

これといって得意なこともなく、学歴もない。資格もなければ、美貌もない。あるのは食欲と体重と健康だけ。真剣に考えると、私の将来はかなりヤバめな気がする。

いっそ、師匠のお誘いにのって個人商店に就職してしまおうか。会社員なんかよりも、そっちの方が自分には向いているかもしれない。なにしろ私、商店街育ちだし。

そんなことをぼんやりと考えていると、再びお客さまから声をかけられた。

「あのう」

「はいっ。いらっしゃいませ！」

まるで寝起きに受けた電話のように、必要以上の元気さで私は応える。

「これって、ここのお店で売ってるんですよね」

若い女性がカウンターに置いたのは、みつ屋の紙袋。ということは、もしかして。

「辻占、というお菓子についてのことでしょうか」

「つじ……あ、そうそう。それです」

大学生かOLさんだろうか。流行の服に身を包んだ女性は、ほっとしたような表情を浮かべた。怒っていないのはありがたい。そんな彼女に向かって、私は深々と頭を下げる。

「新年早々にご足労をおかけして、申し訳ありません。お品物はすぐに取り替えさせていただきます」

「取り替え？」

首をかしげる彼女に向かって、私はうなずいた。

「中が白紙の占いなんて、困りますよね。ご迷惑をおかけしました」

そう言って袋を受け取ろうとすると、なぜか彼女は私の手をさえぎる。

「あの。意味がわからないんですけど」

「申し訳ございません。白紙だったのは、こちらの手違いなんです」

「そうじゃなくて——」

もしかして、会話がかみ合っていない？　私と彼女は互いに見つめ合って、ふと動きを止めた。

「そうじゃなくて、意味を教えてほしいんです」

「意味？」

「はい。私、古典とか和風のものにあんまり詳しくないから」

私だってそう詳しいわけじゃない。でも、それにしたって占いの意味くらいわかりそうなものだけど。軽く疑問に思いながらも、私はほっと胸を撫で下ろす。

「ということは、これは白紙ではなかったんですね？」

「違います。でも、説明がないとわからなくって……」

理解できないことを、少し恥じているような雰囲気のお客さま。それを見ていたら、ちょっと可哀相になってきた。もしかしたら、白紙以外にもミスプリントがあったのかもしれない。

「どうかしたの、梅本さん」

接客を終えた椿店長が、カウンターの上に載った袋を見て近づいて来る。

「例の白紙ではないんです。ただ、こちらのお客さまは占いの意味を知りたいということで」

「ああ、そういうことですか」

言いながら、店長は微笑む。

「昔の言葉づかいだったりすると、わかりにくいこともありますものね」

お客さまを傷つけないよう、言ってるんだな。もしかしてもしかしたら、相手が帰国子女で日本語が不自由な場合だってあるし、見た目で判断しちゃいけないな。私は自分の接客態度を反省しつつ横で神妙にしていた。

「で、どの紙でしょうか」

椿店長の質問に、お客さまは袋を指さす。

「全部です。ていうか、半分しか開けてないけど、多分みんな同じだから」

「全部？」

でもって、みんな同じ？　それじゃまるで、白紙の逆バージョンだ。たった一つの言葉が繰り返される占いを想像して、私は少し怖くなった。そりゃあ、聞きに来たくもなるよね。

「では失礼して、中を見させていただきます」

椿店長が袋から紙を取り出して、カウンターの上に広げた。しかしそれを見た瞬間、私は思わず声を上げてしまう。

「これ……何ですか？」

＊

絵？　それとも図柄？　占いが書かれているはずの紙には、なぜか不可思議な文様が並んでいる。

「これが松竹梅の松だってことは、私もわかるんですけど」

そのうちの一枚を指さして、お客さまが言った。まるでクッキーの抜き型のように簡略化されてはいるけど、なるほどそれは松の絵だ。

「でもこれとこれはお花ってことしかわからないし、この三角と菱形が三つ繋がったようなものは、もう全然」

ため息をつくお客さまの前で、椿店長は首をかしげる。

「お客さま。ちょっとお待ちいただけますか？　ただいま本社の方に連絡を取ってみますので」

「え？　お店の人にもわからないんですか？」

不審そうな表情の彼女に向かって、私は通常の辻占には文字しか書かれていないことを説明する。

「ほら、こんな風に」

お味見用の辻占をぱきりと割ってみせると、中から『遠方よりよきものきたる』と書かれた紙が現れた。

「じゃあこれって一体……」

困惑する彼女の元に、電話を終えた店長が戻って来る。

「お客さま。本社を通して工場まで確認をとりましたが、今年の辻占に絵が入ることはないそうです」

「そんな」

「というのも、中の紙は印刷会社に発注して刷ってもらっているもので、絵を入れるとコスト的に無理、という理由がありまして」

お恥ずかしい話ですが、と店長は微笑んだ。

「とはいえ、この袋は確かに当店のものです。そこでちょっとお調べしたいと思うのですけれど、お客さまはこれをどこのみつ屋でお買い求めになられましたか」

「あの、昨日貰ったんです。だからどこで買ったかまではわからなくって」

「そうですか。ではそのお相手の方は、このご近所にお住まいですか」

みつ屋には、いくつもの店舗がある。店長はそれを絞り込めたらと思っているのだろう。

「いえ。私の田舎――というか離れたところに住んでる人なんですけど」

そう言って、彼女は関東近県の都市名を挙げた。そこはけっこう大きな都市だからデパートもあるだろうし、みつ屋があってもおかしくはない。でも。

「製造年月日は二十八日です。だとしたら、どこで買っていてもおかしくありませんね」

私が袋を持ち上げて裏のシールを示すと、店長がうなずいた。しかし袋を持ち上げた瞬間、私は何か不思議な気分になった。

「そうね。お日持ちのするお菓子だからということで、主要駅のデパートなどでお買い求めになったとしたら、わかりにくいわね」

この不思議な感じは何だろう。そう思いながら袋をしげしげと観察すると、あることに気がついた。

「あと気になったんですけど、この袋って、微妙に材質が違う気がするんです」

店頭に並んでいる辻占の袋を取って、私は横に並べる。どちらも同じような透明なビニールだけど、手で触っているとほんの少しだけ厚みが違うし、透明感も違う。

「……ホントだ」

彼女が、驚いたように双方の袋を触り比べる。

「ということは、もしかしたら」

これはうちの商品じゃないのかもしれない。そう言おうとしたとき、ちょうど他のお客さまが来店された。

「梅本さん、お願いできるかしら」

「はいっ」

後ろ髪はひかれるものの、店長に言われて私はその場を離れた。

「で、結局これは当店の商品だったんですか？」

入れ替わりに休憩で席を外していた立花さんは、興味深げにその紙を広げる。例のお客さまはこの近くにお住まいだということだったので、連絡先をうかがって品物を置いていってもらったのだ。

「多分、違うと思うわ。梅本さんが指摘したように袋の材質が違うのは怪しいし、製造年月日からいってもクレーム商品は出ていないから」

「じゃあ、もしかしたらどこか違う店の商品を詰め替えたとか？」

「でも、わざわざそんなことするでしょうか」

私の疑問に、店長は腕組みをする。

「もし万が一、これが他店の辻占だとしても、本当にわかりにくいわよね。せめて説明文くらい入れておかないと、お客さまだってわからないでしょうし」

「松はお正月につきもののラッキーモチーフだとして、この桔梗《ききょう》と麻《あさ》の葉がわかりませんね」

そう言って立花さんが指したのは、五弁の花と星形の花。

「この星形って、お花じゃないんですか」

「ええ。麻の葉といって、葉を表したものです」

それを聞いていた店長が、腕組みをほどいてぽんと手を打つ。

「そうよ。麻は繁殖力が強く丈夫だから、子孫繁栄や健康といった意味合いで使われる模様だったわ。ほら、健康を願って赤ちゃんの肌着なんかにも使われたりするでしょう」

「ああ。そういえば麻の葉の産着《うぶぎ》というのは聞いたことがあります」

そんなこと、全然知らなかった。うなずき合う二人を見て、軽く落ち込む。世の中は、私の知らないことだらけだ。

「ちなみにこの三角は鱗文《うろこもん》といって、蛇を表しています」

「へ、ヘビ⁉」

にょろにょろ系が得意ではない私は、軽く腰が引ける。

「巳《み》の年の干支《えと》菓子に、焼き印として押したりするのよ。だからこれも悪い意味じゃないけど、今年は巳年じゃないのよねえ」

「それに桔梗。これが謎ですよ」

立花さんが眉間に皺を寄せる。しかしそれよりも謎な模様が、最後に残っていた。

「あのう、これは……」

菱形か四角が三つ繋がったような模様。いっそ化学の図式だと言われても納得してしまいそうなデザインは、一体何なのか。

「うーん。これはちょっと、私にはわからないわね。立花さんは？」

「紋様の一種だとは思いますが、調べないことにはちょっと……」

この二人にわからないものが、私にわかるわけがない。とりあえずこの件は本社に報告するものの、自分たちでも調べるということで話がついた。

*

とはいえ翌日は、またお休みだった。

「せっかくの三が日なんだから、出るのは一日でいいわ」

「でも」

そのかわり、松の内が明けたらたくさん入ってもらうわよ。そんな店長の言葉を受けて、私は再び家でぼんやりとしている。多分、私が未成年で正社員じゃないからそうしてくれたんだろうけど、むしろありがた迷惑だ。だって、朝にお雑煮とおせちの残りを食べてしまうと、もうやることがなくてつまらない。これじゃあまるで、元日の繰り返しだ。

だったらちょっと例の問題について考えてみようか。私は台所に行って、例の化学式みたいな模様をお母さんに見せた。

「ねえ。これって、何の模様だと思う？」

「はあ？　模様？　それって、車とかについてるマークじゃないの？　じゃなきゃ物理とか数学とかの記号にしか見えないけど」

駄目だこりゃ。私は同じ質問をお父さんとお兄ちゃんにもしてみて、再度がっかりする。

少なくとも私より長く生きている人たちなんだけど、こっち方面にはとんと縁がなかったようだ。

「それより杏子、ちょっとおつかい頼まれてくれないかしら」

「いいけど、何？」

「駅向こうのスーパーで、小松菜とサラダ菜を買ってきてほしいのよ」

駅の向こうにあるスーパーは、ちょっと離れている上にお値段も高い。けれどうちに近い方のスーパーでは小松菜が売り切れているし、八百屋さんは三が日の間休みなのだとお母さんは言った。

「なんなら、おやつを買ってもいいから」

そういうことなら、喜んで。私は散歩がてら、のんびりと家を出る。

いつもの商店街を歩くと、メインストリートはしんと静まり返っていた。中にはひっそりと営業しているお菓子屋さんなんかもあるけど、全体的に静かでなんだか町が眠っているような印象を受ける。

(でもこの静けさは、嫌いじゃないな)

空気が澄み渡って、なんだか風景がいつもより遠くまで見渡せるような感じ。私はわざと回り道をして、その雰囲気を楽しんだ。

「あれ？」

いくつめかの角を曲がったところで、不意に賑わいに出くわした。そこは区の運営する広場で、いつもならお弁当を食べる会社員や、ベビーカーを押すお母さんたちが休憩所にするような場所だ。

「『青空骨董市《こっとういち》』……？」

はためくのぼりの字を読んで、納得した。地面に広げられた焼き物や、謎の仏像。そしてそれをわいわいと覗き込む人々。いかにもお正月らしいイベントに、私も思わず足を踏み入れる。

「どう、お姉ちゃん。安くしとくよ」

梅柄の小さな器に目を留めた私に、おじいさんが声をかけてくる。

「でも骨董って高いんでしょう」

「いやいや、そうでもないさ。それなんか江戸時代のもので五千円」

「え」

五百円の間違いじゃなくて？　私は持ち上げた器を、細心の注意を払って元の場所に戻した。

「お買い得だろう？　うちは国内のものしか扱ってないからね」

「国内？」

「そう。あの辺の店なんて、価値の見極めができてない業者が、中国やら韓国やらごちゃまぜにして売ってる。だから値段は安いけど、玉石混淆《ぎょくせきこんこう》さ」

ああ、そういうことか。微妙な感じの仏像が立ち並ぶ一角を見て、私はうなずく。確かに、ぱっと見ただけではどこの国のものかわからないかもしれない。

「もし何かほしくなったら、どこを見ればいいんでしょうか」

ふとたずねた私に、おじいさんはにやりと笑って答えた。

「自分がその品に対して払ってもいいと思える値段であること。その値段が、あんたの身《み》の丈《たけ》に合っていること。それだけだね」

「値段、ですか」

「そう。偽物かどうかよりも、後悔しない買い物であるかということ。あんたぐらいの年齢だったら、それが一番大事なんじゃないかね」

ふむ、それは一理ある。どうせ私には本物かどうかなんてわからないし、転売する気もない。だったら、雑貨を買うのと同じ感覚でいいわけだ。私はおじいさんにお礼を言うと、違う店に向かった。

「はい、いらっしゃいませー」

次に覗いたのは、いかにも怪しげな店だった。私の目から見ても安そうなアジアン雑貨がそこかしこに並び、値段も妙に安い。しかも売っているおじさんが、これまた怪しい。

「骨董っていうか、要するに古い物なんですよ。でも、古くてもいいものはいいでしょう?」

おじさんは満面の笑みをたたえて、覗き込むおばさんにセールストークを繰り広げる。それを聞いていた私は、ふと心の中で首をかしげた。『古い物』としか言わないってことは、何の裏付けもないってことなんじゃないかな。

こういうのって、一歩間違うと詐欺だよね。私は失礼なことを考えながら、店先に並んだ品物をちらりと見た。

『どれでも五百円』

籠《かご》に張られた紙を見て、思わずため息をつく。ここはフリーマーケットか。

(でもまあ、これなら気軽に触ってもいいか)

焼肉屋さんの店先にあるような石像のミニチュアに、どうみても中国製の扇子。お土産屋さんの域を出ないような品揃えをかき回していると、その中から羽子板のようなものが出て来た。

(もしかして?)

板を持ち上げてみると、表面に花の絵柄が彫り込まれている。菓子木型だ。一応、わからないなりに銘とやらを確認してみると『型風』と読むことができた。でも立花さんが作ったものとは違って、まだ窪みが浅い。ということは、これは完成品ではないのかもしれない。

だから安いのかな。しかも、籠の中を探してみてもこの対になるはずの板がない。いわゆるハンパものだ。

とはいえ五百円なら後悔もない。

「あのこれ、下さい」

「はい毎度。お嬢さん、お若いのにいい趣味をしてますね」

顔をてらてらとさせたおじさんは、一人でうんうんとうなずく。

「これって、どういうものなんですか？」

「中国で仕入れたものですから、月餅《げっぺい》の型だと思いますよ」

嘘だろ。思わず、心の中でおじさんに激しく突っ込みを入れてしまう。だってこの花は椿。左右非対称の模様は、どこからどう見ても月餅のデザインじゃない。和菓子の型だ。

「中国、ですか」

「ええ。だからお値段もお買い得なんです。海を越えて渡ってきたこの品も、あなたのような人に目をつけてもらって幸せですねえ」

本当に適当だなあ。さらなるおじさんのお世辞に苦笑しつつ、私は菓子木型を持って公園を後にした。


いつもは行かないスーパーマーケットで、いつもよりちょっと高い菜っ葉をバスケットに入れる。

(さてと)

おつかいはすませたし、ここからはおやつパトロールだ。見慣れない棚の間を歩きながら、私はお菓子を眺める。高級嗜好の店には、そこそこおいしそうな和菓子が並んでいた。最中に大福、それに練り切りや干菓子。でも和菓子は、みつ屋の新作を明日買う予定なので手に取るつもりはない。

(それにほら、ちょっと泣いちゃってるし)

練り切りの入った個包装のプラケース。その中にうっすらと結露がついているのを見て、私は首を振った。きっと年末に仕入れて、そのまま温度管理もせずに置いてあるのだろう。これじゃあ、おいしいわけがない。

結局、お菓子は何も買わずに店を出た。でもなんとなく、おいしいお菓子が食べたい気分だけは高まっている。そんなとき、ふと立花さんの師匠を思い出した。確か松の内まではは休まず店を開けてるって言ってたっけ。

どうせ時間は余っているし。私は菜っ葉を置きに家に戻ると、その足で駅へと向かった。

＊

師匠の店『河田屋』までは、電車で四十分ほどかかる。最寄りの駅は下町と呼ばれる地域に近く、同じ都内でも私にとってみれば観光地のような場所だ。住所と地図を頼りに見知らぬ町を歩いてゆくと、やがてどこか懐かしい店構えの和菓子屋さんが見えてきた。

入り口には盛り塩。そして脇には手水鉢《ちょうずばち》と竹でできた小さなベンチが置いてある。いい雰囲気だな、と思いながら私はガラスの引き戸を開けた。

「よお、アンコちゃんじゃねえか」

いきなり師匠に迎えられて、瞬間私は言葉に詰まる。いるとは思っていたけど、まさか本人が店に出ているとは思わなかった。

「あ、あけましておめでとうございます」

「はいおめでとさん。寒いところ来てくれて嬉しいよ。今日はお菓子を買いに来たのかい？　それとも、俺んとこで働く気になったのかな」

「もちろん、お菓子です」

なんでえ、残念だな。そう言いながら師匠は、ショーケースの中に並んだ生菓子を示した。

「定番もうまいけどよ、今ならやっぱり正月用の上生だ。『未開紅《みかいこう》』、『雪竹《ゆきたけ》』、それに『永《えい》松《まつ》』。俺としちゃあ、『未開紅』がおすすめだな」

「わあ、綺麗ですね」

四角い紅白の生地を風呂敷のように折り畳んだ『未開紅』は、紅の中から白がちらりと覗いて、なんとも美しい。

「これ、何がモチーフなんですか」

見た目からだけではなく、名前からも判別がつかなかったので私はたずねた。

「梅だよ」

「え？　梅？」

「そう。開く前の梅のつぼみを表してるんだ」

なるほど。ということは、上生三つで松竹梅を表しているということか。

「お正月らしいですね」

「まあな。でも俺はこの名前が好きなんだよ。未だ開かぬ紅と書いて『未開紅』、これから開く乙女の恥じらいってやつよ」

……セクハラ一歩手前、みたいな感じがするけどまあいいか。

「アンコちゃんにはぴったりだろ」

「あはは」

若干、乾いた笑いになってしまうのは私がそういうキャラのせいだ。

ここで「やだ、もう！」なんて言えるような女の子だったら、きっと世の中はもっと生きやすいんだろうな。

「じゃあ、『未開紅』を三つと『雪竹』と『永松』を各二つお願いします」

「おうよ」

てきぱきと紙箱を組み立てる師匠を見ながら、私はお財布を出そうとジーンズのポケットに手を入れる。するとそこにあったのは、かさりとした手応え。

そういえば、例のマークをメモした紙を入れたままだった。

「あ、あの」

とっさにその紙を、カウンターに置く。師匠なら、こういうものに詳しいかもしれない。

「この柄って何を表してるかわかりますか」

「あん？」

包み終わった師匠は振り向くと、紙をしげしげと眺める。

「桔梗に松に麻の葉に鱗――それはいいとして、最後のは」

「やっぱり、わかりませんか」

「少なくとも、ありきたりな紋様じゃねえことは確かだな。最後のやつ以外は、菓子の焼き印なんかでよく見るからな」

でもどうしてこんな紋様を持ってきたんだい。そう聞かれて、私は不思議な辻占の一件を説明した。

「……そりゃあ、おかしな話だ。でも俺が思うに、その辻占は市販されてるものじゃないんじゃねえかな」

「どうして、そう思われるんです？」

「だってよ、もともと辻占なんて味よりも中の占いが目的みたいなもんだ。なのにその目的の部分をわかりにくくして、どうするって話だからさ」

味よりも、なんて作り手が言ってしまっていいのかな。などと思いつつも、私は師匠の言葉を反芻《はんすう》する。

市販ではない。ということは、それは手作り？　でも、袋には製造年月日のシールが貼ってあった。そんなことをする意味は、なんだろう。

（手作りじゃ、食べてもらえないかと思った……？）

だとしたら、あのお客さまに渡した人が問題になってくる。

「中の占いが目的だとしたら、やっぱりこれは何か意味があるんでしょうか」

「そうだなあ。俺みたいな職人だったら、自分で意味ありげな菓子をいくらでも作れるけどな」

それはそうだろう。そもそも和菓子の世界は、見立てやメッセージに満ちている。去年のクリスマスに貰った『星夜』を思い出しながら、私は考えた。

（でも、職人やパティシエだったら食べてもらえるはずだ。ということは、作ったのは素人？）

カウンターの前で考え込んでいると、からりと音がしてお客さまが入って来た。私は迷惑にならないように素早く会計をすませると、端に退く。

「あけましておめでとうございます。本日は何がご入り用で」

「今年もうちの口開けは、河田屋さんの最中に決まってるわよ。新年でもぱりっとした最中を売ってるとこなんて、そうそうないもの」

「ふにゃけた最中なんぞ売った日にゃあ、新しい年にけちがついちまいますからねえ」

おばさんと師匠の軽快なやりとりを、私は微笑ましい気持ちで聞いている。この店には、いいお客さんがたくさんついてるんだろうな。

「最中っていえば、最近は自分で作るのも増えたわよね」

「ああ、餡と皮が別になってるやつですね」

「どうしようもないときはあれでしのぐこともあるんだけど、やっぱりちょっと興ざめなのよねえ。アンコを出すときなんか、特に」

ああ、わかるわかる。自分で作るタイプの最中は楽しいし香ばしいけど、ラミネートチューブに包まれた餡を見ると、なんとなく違う食べ物という気がするのだ。

「まあ、でもあれはあれで発明ですやね。俺なんざ、あの皮に果物やチーズを挟んだりして遊びますよ」

さすが師匠。発想が自由だ。おばさんもそう思ったらしく、大きくうなずく。

「いいわね、それ。今度真似させてもらうわ」

「餡を半量にするのがコツです。間違いがないのは、アンズや苺あたりですね。でもってこれが案外、ウイスキーみたいな洋酒に合うんです」

「あら。じゃあ今度うちの旦那に出してやろうかしら」

それじゃあまた。おばさんが楽しげに店を出ていくと、師匠は私に向き直った。

「ほい、お待たせ」

「お店番もなさるんですね」

「奥にこもってばっかりも、気が詰まるしな。それに正月はパートのおばちゃんたちもいねえし」

そう言いながら、もう一度紙をしげしげと眺める。

「あのよ。ちょっと考えてみたんだが――こりゃあ、もしかしたら家紋じゃねえのか」

「家紋？」

「断言はできねえけどな。けど、こういう和の紋様が並んでるとしたら、その可能性は高いと思うんだが」

なるほど。確かにそう言われてみれば、それっぽい。私がうなずくと、師匠は軽く腕を組む。

「とはいえ、家紋はとんでもなくバリエーションが豊富だから、これがそうだと言いきれないのがつらいな。もしかしたら、俺の知らない紋様があるのかもしれないし」

「でも、調べてみるヒントにはなります」

ぺこりと頭を下げると、師匠は笑って同じように頭を下げてくれた。

「なんだかよくわからねえけど、その謎、解けるといいな」

「はい。ありがとうございました」

ついでに、あいつにもよろしく言っといてくれ。手を振る師匠に再度頭を下げて、私は『河田屋』を後にした。

*

家に着く頃には、もう陽が落ちかけていた。明けて三日の町は、店じまいが早いぶん寒さを感じる。

「ずいぶん遅くなったわね」

「うん。でもそのぶんおいしいお菓子を買ってきたから」

そう言って師匠のお菓子を出すと、家族がわらわらと集まってくる。

「ちょうど小腹が減ってたんだよな」

お茶が入ったそばから、お兄ちゃんが『雪竹』を抓《つま》んで口に放り込んだ。

「あー、もったいない！　せっかくいいお菓子なのに！」

私が声を上げると、その横からお父さんが『永松』に手を伸ばす。

「菓子は食べられるのが仕事。買った側はうまいうちに食べるのが仕事、ってね」

黒文字でざっくり二つに切り分けると、これもぱくり。まったく、うちの家族の前では和菓子の繊細さなんてあってなきがごとしだ。

「理屈はわかるけど、もうちょっと味わったらどう？」

「まあまあ、せっかくだから私たちは分けっこして全部味を見ましょうよ」

お母さんの意見に従って、私はまず熱いお茶をひとすすり。冷えた体に、じんと染みる。

まずは『雪竹』。ふんわりとした薯蕷まんじゅうの生地は、純白の雪のイメージ。そして端にそっと描かれた竹のモチーフは、鮮やかな緑。降り積もる雪の中、それでも生き生きとした緑が新年の息吹を感じさせる一品だ。

「ふわふわで、おいしいわねえ」

お母さんの言葉に、私はこくこくとうなずく。細かい気泡を抱え込んだ生地はどこまでも軽く、そして中の餡は少しだけ塩の効いた粒あんになっていて、その組み合わせが絶妙だ。

「じゃあ、今度はこれね！」

そのおいしさに興奮した私は、素早く『永松』を切り分ける。こちらは桃山のような生地で全体を包み込み、表面に松の紋様を焼き印で押してある、一見地味なお菓子だ。でもそれを頬張ったとたん、お母さんと私は顔を見合わせた。

「和菓子でこういう味って、初めて……」

中の餡には胡麻と松の実が練り込まれ、なおかつ遠くに柑橘系の皮の香りが漂う。見た目を裏切る華やかな味は、どこか違う場所で出会ったことがあるような。

「あ、わかった。月餅っぽいのよ」

「ホントだ!」

こくのある餡に、ドライフルーツの組み合わせは確かに中国っぽい。師匠のお菓子は、自由な楽しさに満ちている。

最後に残した『未開紅』は、梅のイメージ通りに一番外は紅色。そしてその中に、白と黄色の生地が包み込まれていた。そっと切ると、何かが中からとろりと流れ出す。

「あらすごい。練り切りなのに、よく液体が入ってたわね」

「多分、寒天みたいなものでとろみがつけてあるんだと思うけど」

こぼさないよう、そっと口に運ぶと今度は違う驚きが舌の上で広がった。まず外側は、普通の練り切り。次に来るのが梅酒を練り込んだような甘酸っぱい練り切り。そして最後に流れてすべてを包み込むのは、蜂蜜の甘い香り。

(うわあ……)

私はつかの間、目を閉じて『未開紅』を味わった。

（こういうのって、多分官能的とかセクシーって表現するんだろうな）

外から味がはじまって、真ん中でぐるりと味がひっくり返される。そして今度は中からの味で外の味を包み込む。

甘くて朴訥《ぼくとつ》な味の練り切りに包まれた、少しのお酒と蜂蜜の香り。花が開くように溢れ出てくる鮮やかな味は、まさに大人になりかけている女の子のイメージそのもの。

（これが私にぴったりなんて——）

なんだか気恥ずかしいっていうか、おこがましいっていうか。こんな体型で色気不足の自分としては、『梅』というキーワードが重なるってことくらいしか、納得できない。

（これで師匠が若かったら、ロマンチックなお話になるのかもしれないけどね）

心の中でつぶやきつつお茶を飲み干すと、お母さんが残ったお菓子をなごり惜しそうに見つめている。

「確かにどれもおいしいわ。杏子、いいお店見つけたわねえ。またちょいちょい買ってきてちょうだいよ」

繊細とか雅《みやび》やかなことにとんと縁のない家族ではあるけど、食べることが大好きなお母さんの味覚だけは確かだ。私は師匠を認めてもらったようで、ちょっと嬉しくなる。

「そうできたらいいんだけど、下町の方にあるお店だからちょっと遠くて」

「あら残念。この最後のお菓子なんて、見事よね。開く前と開いた後の感じは、本当に花って感じがするもの」

開く前と、開いた後。その言葉に、頭のどこかが反応する。開く前にはわからなくて、開いたら出てくるもの。

おみくじ、福袋、辻占。みんな、開けるまでは中がわからない。

(開ける——？)

私は立ち上がると、自分の部屋に戻って鞄《かばん》の中を探る。そしてまだ手つかずの『辻占』を取り出すと、端からはみ出た紙をそっと引っ張ってみた。すると思った通り、少しの引っかかりはあるものの紙を取り出すことができた。

『あなたは誰かの幸福』

紙を開くと、そんなメッセージが現れる。ちょっと嬉しいけど、万人向けの当たり障りのない感じという気もした。

そもそも、折り畳まれた『辻占』に最初から紙は入っていない。ああいうくにゃりとした形の焼き菓子というものは和洋を問わず、焼き上がってすぐの柔らかいうちに成形するものなのだ。

ちなみに例を挙げると、シガレット形のクッキーやチュイール、それに『辻占』や麩《ふ》の焼きなんかがそれに当たる。クッキーを焼いたことがある人ならわかると思うが、熱いうちに柔らかかった生地は冷めると水分が抜けて固くなり、そこで初めてあのぱりぱりさくさくとした食感が生まれるのだ。

中の紙は焼き込まれたわけではないから、生地に張りついていなければ引き出すこともできる。ならばその逆、新たに差し込むこともできはしないだろうか。

私は机の上にあったメモ用紙を折り畳むと、実験にかかった。

＊

実験の結果は、十枚の紙で七勝三敗。紙質を選べば、途中で折れ曲がったりせずにうまくいくことがわかった。

「だから例の『辻占』は、外の皮だけがうちのもので、中の紙と袋は細工をした人が用意したものなんじゃないかと思うんです」

翌日、店に出た私は椿店長に自分の『辻占』を見せた。

「確かにそうかもしれないわね。実は本社の工場にあれを送ったら、『確かに皮はうちのものとそっくりだ』という返事が戻ってきたところなの」

あまりにもありふれた素材であるため、断言はできないんだけどね。と店長は笑った。

「ビニール袋が違ったのは、一度開けてしまったことを隠すため。製造年月日のシールは、注意深く剝がせば再利用できるんじゃないでしょうか」

「それは、私もそう思うわ。でも問題は、なぜそんなことをしたかじゃないかしら」

「ですよねえ……」

私はがっくりと肩を落とす。そう。本当に知りたいのは、理由の方なのだ。

「他店からクレームが上がってきていないことからみても、これは不特定多数に向けられたものではないと思うのよ」

「ということは、あのお客さまに『辻占』を差し上げた方が細工をされたと？」

「そう考えるのが、自然だという気がするわ」

一月の上生菓子を補充しながら、私は考える。個人から個人への品だとしたら、中身をすり替える理由は何だろう。嫌がらせだったら、占いを書きかえればいい。でも、あの紋様は特別悪いものにも思えなかった。

「あ、そういえば師匠、じゃなくて松本さんがあれは家紋なんじゃないかっておっしゃってました」

「家紋。それは調べてみる価値がありそうね」

ちょっと裏のパソコンで見てくるわ。そう言って椿店長は、バックヤードに姿を消した。

明けて四日の朝はそろそろ落ち着きはじめているせいか、お客さまもそう多くはない。そんな中、私はゆったりとした気持ちで、上生菓子を移し替えていた。

みつ屋の一月のお菓子は、『早梅《はやうめ》』に『福寿草《ふくじゅそう》』、それに『風花《かざばな》』。ちょうど季節のお菓子を買いにこられたお客さまに、私は内容を説明する。

「こちらの『早梅』は、早咲きの梅をイメージした練り切りで、中は白餡のさらりとしたおいしさです。そして次に『福寿草』は、こくのある黄身餡をよもぎ入りのういろうで包んでおります。最後の『風花』は雪をイメージしておりまして、上品な白餡のそぼろで外をくるみ、中心には和三盆《わさんぼん》糖を使った餡が隠されています」

舌の上ですっといさぎよく消える味が、雪のイメージにぴったりなんですよ。そう勧めると、お客さまは『風花』を多めに買っていかれた。自分が気に入っているお菓子が売れると、やっぱり嬉しい。

空中に舞う雪を、『風花』と名づけたのは誰だろう。私は国語も古文も得意じゃなかったけど、こういう言葉を目にすると、日本語って美しいんだなと思う。

（そういえば、つい最近もどこかで似た字を見たような……）

ふと首をかしげた私の耳に、「ビンゴ！」という雄叫びが響いた。

「確かに家紋で当たりだったわ！」

バックヤードから走り出て来た椿店長は、プリントしたての紙を目の前に突き出す。

『家紋事典』と書かれたページの中央にあったのは、例の化学式みたいな紋様だ。

「『千切紋《ちきりもん》』、っていうんですか」

「そうみたいね」

これでパズルのピースは揃ったわ。店長はそう言いながら、紙に一連の名前を書き込んだ。

「桔梗、松、麻の葉、鱗、千切——」

並べて読んでも、ちっとも要領を得ない。私たちはその順番を並べ替えては、何度も言葉を作ろうと試みた。

「文章、じゃないのかしら」

「でも何かしらのメッセージではあると思うんですよね。それに説明がついていないってことは、そんなに難しい内容じゃないとか」

こういうのに詳しくなくて、と困った顔をしていたお客さま。そんな相手に、難しい謎かけをしても意味が通じないはず。

「そうね。とりあえず和の紋様であるってことがわかれば、今みたいにインターネットで検索もできるわけだし」

あと可能性があるとしたら、あのお客さまがメッセージの受け手ではない場合だろうか。たとえば同じ家に暮らす家族に宛てたものだとか。

「あの方のご連絡先とか、うかがってるんですよね」

「もちろん。だってうちの商品だった場合、お詫びしなければいけないもの。それにお客さまご自身も、どういう意味かわかるなら教えてほしいとおっしゃってたし」

そう言って店長は、レジのそばにある引き出しから小さなメモを出した。名前は椎名《しいな》亜佐美《あさみ》さん。お住まいは都内の集合住宅だ。

「確か、帰省なさったときに貰ったと言われてましたよね」

「そうよ」

だとすると、やはり家族宛てというのも捨てきれない。

「やっぱり、どなたから貰ったかを聞かないとわかりませんねえ」

「なのよねえ」

店長はため息をつきながら、それでもてきぱきとショーケースの中を整理する。お客さんがいないならいないで、することはあるものだ。

私もぼうっとしてちゃいけないいな。そう思って違う場所のガラスを開けた瞬間、思い出した。

「あ。そういえば私も、持ってきたものがあるんです！」

「え？」

急いでバックヤードに行き、私物バッグから紙の包みを取り出す。

「これ。ちょうど近所の骨董市で売ってたんです」

例の五百円で買った菓子木型を、店長に渡した。

「あんまりにも安いから、ついおこづかいで買っちゃいました」

「あら。梅本さんまで？」

微笑みながら木型を裏返した店長は、なぜか突然ぎくりとした表情で手を止める。

「梅本さん……。これ、どこで手に入れたの？」

「え？　近所の青空骨董市ですけど」

私は不思議に思いながらも、ちょっとうさん臭いおじさんが言っていたことをそのまま伝えた。

「そう。中国で、仕入れたものなの……」

とりあえず立花さんのと一緒に飾っておくわね。店長はぎこちない動きで木型をショーケースに入れると、私を振り返った。

「ごめんなさい。ちょっと急に遠方に行きたくなっちゃった。いいかしら」

ちなみに『遠方』というのは、デパート内の隠語で『お手洗い』を指す。食品フロアで『トイレ』とは言いづらいので、こんな名前が生まれたんだろうけど、これはこれでなかなか優雅な別名だ。

「はい。お客さまも少ないし大丈夫ですよ」

私がうなずくと、店長は小走りで店を出ていく。明らかに態度がおかしい。

そういえば、この間立花さんの木型を見たときも店長は表情を曇らせていた。でもあのときは、今ほど動揺してはいなかった。

(だとしたら、この木型に何かある……？)

『型風』と彫られた菓子木型を見つめて、ふと思う。そうか、さっき『風花』を見て浮かんだのはこれだったんだ。

立花さんは、自分の名字をもじって『型柑』と彫っていた。とすると、これを彫った人の名前には、『風』という字か意味がついているのだろうか。

＊

お手洗いから戻って来た椿店長は、少しだけメイクが崩れていた。

やっぱり、何かある。そうは思ったものの、いきなり本人にたずねるわけにもいかないので、私はただいつもどおりの接客を心がけた。

午後になり、交代のため入った桜井さんとバックヤードで申し送りをする。

「今日はお客さまが少なくて楽でした」

「ふふ。でも明日からはUターンラッシュでまた忙しくなるよ」

小さな鏡で身だしなみを確認しながら、桜井さんは笑う。彼女は暇な時間が苦手で、忙しければ忙しいほど燃えるタイプなのだ。

「Uターンかあ。帰省した人がまたここを通るってことですよね」

「そうそう。でもこっちの方が面倒なんだ」

「え？　何でですか」

「行きは故郷へのお土産だから、わかりやすい贈答用の箱ものが売れたでしょ。でも帰りに買うものは、目的がバラバラだから内容もバラバラ」

休み明けのお年賀を買う人に、こっちの家用のお土産として買う人。それからただ単に、今日のおやつを買って帰る人。桜井さんは指を折りながら数えていった。

「だから売れるのも箱ものだけじゃなくて、最中やお饅頭に上生とばらけてるわけ」

「なるほどねえ」

それって、駅に近い場所にある百貨店ならではだな。私がうなずいていると、桜井さんが思い出したようにたずねた。

「そういえば、『辻占』の件はどうなった？」

「紋様の名前まではわかったんだけど、その先がね」

やっぱり相手がわからないと。私の言葉に、桜井さんはにやりと笑う。

「その相手って奴、私は絶対オトコだと思うな」

「確かにあの椎名さんは可愛いですけど、もし相手が彼氏だったとしたら、ずいぶん渋くないですか」

「でもさあ、新年早々お菓子で謎かけなんて、やっぱ特別な人にしかしなくない？」

そう言われれば、そんな気もする。中の紙をすり替えるだけなら、男性にだってできそうだし。

「帰省のときに貰ったってことは、地元にいる相手なのかな」

「あー、よくあるよね。学生時代につきあってた彼氏を残して上京、ってパターン」

すべてを恋愛に結びつけるのは、恋愛真っ最中の桜井さんならではかもしれない。でも案外、これは当たっているような。

「だとしたら、どう読むのかなあ」

紋様の一覧を出して私が首をひねると、桜井さんは顔をしかめた。

「うわあ、ウロコだって」

「もしかしてヘビ、苦手？」

「そうなんだ。だからいくら十二支だって言われても、巳年は憂うつ」

もうね、数えるのだって嫌。そう言いながらも桜井さんは声を上げる。

「ねーうしとらうーたつみー。ほら、もうこの『みー』が嫌！」

「あはは」

私は笑いながら、鱗紋を眺めた。巳年にはお菓子の焼き印にも使うというのだから、桜井さんは大変だ。

(ん？『み』？)

鱗紋は『ウロコ』じゃなくて、お菓子として出会ったなら『み』とも読むことができるのか。そう思って紙を見た私は、あることに気がついた。

「桜井さん！　これと麻の葉を組み合わせたら、『あさみ』にならないかな」

「あ、ホントだ。それってお客さんの名前だよね」

椎名亜佐美。これが彼女に宛てたメッセージだとしたら、答えに一歩近づいたことになる。

「梅本さん、すごい！　じゃあさ、残りは松と桔梗と千切だけじゃん」

まつ、ききょう、ちきり。私たちは声に出して読み上げた。

「……まつ、ききょう？」

「ききょう、まつ？」

「亜佐美。帰郷、待つ！」

当たりー！　わっと声を上げて、私たちは手を取り合う。

ちょっと電報みたいだけど、意味は充分通じる。それよりなにより、私たちが解読できるくらいのレベルだということが重要だ。

（うん。これならあのお客さんだって――）

後は『千切』だけだね。そう言おうとした所で、桜井さんが時計を見た。

「あ、やばい。そろそろ出なきゃ」

「引き止めちゃってごめんね」

「いいよ。それより今の暗号、店長にも伝えておくね」

よっしゃあ。男らしいかけ声をかけると、桜井さんはフロアへと出ていった。

*

帰郷、待つ。ちょっと電報みたいだけど、シンプルなメッセージ。

でも、後に残された『千切』が気にかかる。あれだけが家紋だというのも、何か意味がありそうだし。

「ちきり、ちきり……」

声に出してみても、何も浮かばない。家に帰るまでずっと考えてはいたけれど、それでもやっぱりわからない。

「今日のおかずは、何？」

台所を覗き込むと、お母さんが冷蔵庫からキャベツを取り出していた。それをほいと手渡されて、私はたずねる。

「千切《せんぎ》りでいいの？」

「ううん。手でちぎってちょうだい」

「ちぎる？」

揚げ物の付け合わせだとばかり思っていたので、ちょっと驚いた。

「料理番組で言ってたのよ。葉もの野菜は、手でちぎるとまた違ったおいしさがあるんですって」

「へえー」

指示通りに手でばりばりとちぎると、何だか気持ちいい。これってストレス解消にも良さそうだな。今度嫌なことがあったら、色々な野菜をちぎりまくってみようか。そんなことを考えていたら、頭をよぎるものがあった。

（ん？　ちぎる？）

ちきりと似てる。ていうかそもそも、『千切《せんぎ》り』って『千切《ちきり》』と同じ字だった。

（じゃあ、もしかして）

階段を駆け上り、部屋に戻って辞書を引くと、『ちぎる』は『千切る』という字だった。

つまり、「ちきり」は「ちぎり」と読むこともできる。

（鱗と同じで、違う読み方があったんだ！）

そして同じページにあった言葉に、目がとまった。

『契る』

最初の意味は、「契約、約束」。ということは。

私は例の電報文に加えて、発音してみる。

「亜佐美、帰郷、待つ。約束――」

とっさに時計を見ると、午後六時半を指していた。私は携帯電話を取り出すと、迷わずみつ屋の番号を呼び出す。

＊

翌日、店に出ると椿店長が微笑んでいた。

「あの後、椎名さまに連絡してみたら、さっそく今日の午前中にいらっしゃるということになったのよ」

「本当ですか」

「ええ。とても喜んでおられたわ」

その言葉を聞いて、私はほっと胸を撫で下ろす。謎を解くのは楽しいけれど、人の秘密を探って嫌な思いをさせてしまうのは避けたいと思っていたのだ。

椎名様は、午前中どころか開店早々にご来店された。

「あの、電話で聞いたお菓子の意味って本当ですか」

走って来たのか、息を切らせながら彼女はカウンターに手をつく。白いコートに水色のマフラー、そしてセミロングの茶髪という完璧なモテ系ファッション。ベルトでゆるくウエストマークしたシルエットを見て、私はうらやましく思う。あれ、私が着たらただのバスローブになるんだろうな。

「お心当たりがあれば、それが正解だと思いますが」

椿店長は紋様と読み方を書いた紙を、椎名様の前に差し出した。彼女はそれをじっと見つめ、やがて顔を上げる。

「当たりです。多分」

その表情は、晴れ晴れとした笑顔。

「あの、わかっちゃったとは思うんですけど、私、田舎に彼氏がいるんです。遠距離だけどそれなりにうまくいってて、大学出たらあっちに戻るって約束してて」

「ああ、それが『約束』なんですね」

私が言うと、大きくうなずく。

「はい。でも去年の年末に、ちょっとケンカしちゃって。彼、いい人なんですけど、全然ロマンチックじゃないっていうか——」

だってクリスマスに、図書カードをくれるんですよ？

椎名様の発言に、店長と私は揃って噴き出した。

「それはその……実質的というか」

「だから私、つい言っちゃったんです。たまには、ロマンチックなことしてみせてよ！って」

「ああ、そういうことでしたか」

悩んだ末の彼氏の行動は、ちょっと的はずれな謎かけ。もう少しわかりやすくすれば、彼女も悩まなくて済んだことだろうに。

「でも、ここに来て本当に良かった。おかげで仲直りできます」

ぺこりと頭を下げる彼女に、椿店長はもう一枚の紙を差し出す。そこには、『千切』にそっくりで、でも少しだけ違う紋様が印刷されていた。四角い図形が三つというのは同じなのだけど、『千切』にあった化学式のような線はなく、曲線で結ばれている。

「これは……？」

「『結千切』といいます。同じく家紋ですが、お返事に使えそうだと思いまして」

むすびちぎり。それはつまり、約束の確約。まさに今回の返事にはぴったりだ。

「わあ、すごい！」

椎名様は嬉しそうに、その紙を握りしめる。

「ここまでしてくれるなんて、思いませんでした。本当に、ありがとうございます！」

紙を片手に持ったまま、店長と私の手を交互に握ってぶんぶん振り回した。それを見ていると、私まで嬉しくなってくる。恋する女の子って、なんて無邪気で可愛いんだろう。赤く染まった頬は、興奮のためかはたまた彼への思いのためかな。

椎名様は最後に、「彼に送る」と言いながらお菓子を山のように買っていかれた。きっとその味は、いつもより格別に甘いことだろう。


「楽しい謎でよかったですね」

まだ人の少ないフロアを眺めて、私はほっと息をついた。けれど椿店長から返って来たのは、意外な言葉だった。

「でもね、本当は連絡しなくても良かったかなって思うわ」

「え？　何でですか？」

朝生《あさなま》と呼ばれる団子や大福などのお菓子を並べ替えながら、私は首をかしげる。

「だって、謎が謎のままだったら、椎名様はずっと彼のことを考えていたかもしれないでしょう」

「ずっと考えてる、ですか」

「ええ。そうしたら、離れていても忘れないでしょう」

そういう考え方もあるのか。私は目から鱗が落ちたような気持ちになった。

謎は、解かれたがっていない場合もあるんだ。

古文や国語が苦手な彼女に宛てた、彼氏からのメッセージ。

クリスマスに図書カードを送ったのは、もうちょっと本を読んでという意味があったのかもしれない。

でも謎が謎である以上、解かれることはある意味で必須だ。ただ、解かれなくても意味はある。

心に自分の存在が残れば、それが答えだ。

＊

「もおっ、二人ともホントにズルいんだからあ！」

遅番で出勤した立花さんにことの経緯を話すと、案の定くねくねと体をよじらせる。

（まあでも、今回は確かに乙女の大好きなパターンだもんね）

だったらしょうがないか。なま温かい目線で見守りつつ、私はバックヤードの椅子から立ち上がった。

「そろそろ、出ますけど」

「あ、待って。一緒に出る」

女子高生のトイレですか。軽く突っ込みを入れて、私たちは店に出た。


「でもよく考えたら、店長も意味深な返事を渡されましたね」

申し送りの最中に、立花さんがふとつぶやく。それに対して、椿店長はにやりと笑った。

「あら。わかる？」

えーと、私はわからないんですけど。思わず手を挙げたくなったところで、立花さんが解説してくれた。

「『契り』は確かに『約束』という意味で通りますが、『男女の結びつき』という意味もまたあるでしょう」

「え。それって……結婚ですか？」

私がたずねると、立花さんはなぜか顔を赤らめてむにゃむにゃと語尾を濁す。

「それもメジャーな意味で正解。でもね、実はもっと即物的な意味合いもあるのよ」

つまり、体の結びつきってこと。耳元で囁かれた言葉が脳みそに到達すると、今度は私が赤くなる番だった。

「えーと、えーと、その……」

口ごもりつつも、頭の中を整理する。

『契り』は結婚であり、性的な結びつきの意味もある。でもって、もし彼氏が確信犯的にそっちの意味合いも含ませて、『千切』を入れたとしたら——？

（そっち方面、オッケーよ。みたいな返事をさせることになる！）

うわーうわー。超意味深だー。

「でもお相手の方は、そこまでの解釈を求めておられないでしょう」

最後の抵抗、とばかりに立花さんが言った。

「そうね。椎名さまはそういう方面があまり得意ではないとおっしゃっていたから、そうなんでしょうね」

「じゃあ、メジャーな方をとって結婚ということにしておきましょう」

椿店長は軽く微笑むと、包材から紅白の水引を出して『辻占』の口をきゅっと縛る。

「プロポーズ、だったのかもしれないんですね」

約束という言葉に隠された、もう一つの意味。それはとてもロマンチックで、素敵な暗号だった。

「でも、どうしてそれを教えて差し上げなかったんですか」

こっちだって正解かもしれないのに。私の疑問に、店長は軽く首を振る。

「その答えは、他人から聞いても意味がないと思ったからよ」

「あ、そっか」

私が声を上げると、立花さんが首をかしげた。

「それこそが最後の、『解かれなくてもいい謎』なのかもしれないなって思ったんです」

気づいてくれたら、嬉しい。でも気づいてくれなくても、かまわない。小さなお菓子に込めた恋人の気持ちに、彼女はいつ気づくのだろうか。

「す」

「はい？」

立花さんの方から聞こえたおかしな声に、店長と私は振り向いた。

「素敵な、話ですねっ……！」

言い終えるなり、立花さんは遠方へと走り去ってゆく。

「あらら。立花さんたら、また乙女を爆発させちゃって」

「ていうか、勝手に爆発するんですよ」

　私たちは、顔を見合わせて苦笑した。


「それじゃあ、後はよろしくね」

　戻って来た立花さんと申し送りを終え、椿店長は帰ってゆく。私と立花さんは、きたるべき夕方に向けて店内の補充をした。

　時計の針が四時を指す頃、最初のラッシュが訪れる。

「あの、お団子十本下さい」

「羊羹セット。二千円のやつ」

「新年の生菓子がいただきたいんですけど——」

　カウンターのあちこちから上がる声に、私はその都度振り返る。

「はいっ！　ただいまおうかがいしますので、少々お待ち下さい！」

　桜井さんの言っていた通り、売れるものも金額もバラバラ。ついでにお客さまの顔ぶれもバラバラだ。いつもだったら午前中には主婦やお年寄り、午後にはお使いものを買う会社員、そして夕方以降は仕事帰りの人が多いのに。

「ちょっと、これは固いのかしらね」

『辻占』を前に首をかしげるおばあさんに向かって、私はうなずく。

「はい。瓦煎餅《かわらせんべい》のようなものですから固いですよ」

「じゃあ薯蕷まんじゅうにしておくわ。五個包んでちょうだい」

「かしこまりました」

頭を下げながら、同時に手はカウンターの内側から箱を引っ張り出していた。そして手早く組み立て、トングでお饅頭を詰める。お客さまに中身を確認していただいたあと、掛け紙をかけて紙袋に入れた。

(うん、中々のペースかも)

最初の頃に比べると、私もかなり手早くなったものだ。そんなことを思ってほくそ笑んでいると、隣では立花さんが壊れやすい『風花』を神業のような手つきで移動させ、信じられないほどの素早さで包みあげていた。しかも生菓子の箱には紐が必須なのに、その結び目にはねじれ一つない。

参りました。思わずそんな言葉が出そうなほど、売り場での立花さんはプロフェッショナルだ。

「ありがとうございましたー！」

二人揃って頭を下げ、時計を仰ぎ見ると六時近くになっている。

「忙しかったですね」

「でもいつもより一時間ほど、混む時間が前倒しのような」

「冬は日が落ちるのが早いですし、何よりまだお休みですからね」

私たちは雑談をしながら、散らかった店内の整理をしてゆく。立花さんがレジ近辺を整えている間、私はショーケースの中を整えた。

低くなったお饅頭の山は、底辺を狭めてもう一度山形に。短くなった上生の列は、できるだけ前に出して存在をアピール。さらにトングなどで押し除《の》けてしまった飾りを直そうとしたとき、私はおかしなことに気がついた。

菓子木型が、揃っている。

「あの、立花さん」
「どうしました」
「この木型なんですけど」

骨董市で買ってきた菓子木型を取り出して見せると、立花さんも首をひねった。

「これは確か、梅本さんが台だけを買ってきたものですよね」
「台？」
「ええ。木型で模様を彫ってある方を『台』、その対になる板を『下司板《げすいた》』と呼ぶんです」

一枚だけじゃ寂しいから、店長が適当な板を持ってこられたんでしょうね。言いながら、その下司板をくるりとひっくり返す。その裏側を見て、立花さんの表情が変わった。

「なんで……」

「え？」

「なんでここに、正しい対が揃っているんでしょうか」

立花さんが指さした場所には、『型風』の銘が彫ってある。

「これを持ってきたのって、椿店長ですよね」

「ええ。店長以外、考えられません」

「……偶然、同じ職人さんの下司板を持っていたとか」

「同じ職人でも、型のサイズは千差万別です。あんなにぴったり重なるということは、元からペアだったものでしょう。でも、そのペアを偶然持っているなんて」

すごい確率。というよりは、私がその確率を引き当ててしまったのだろうか。

「でも、色がちょっと違いますよね」

私が買った台はそれなりに茶色がかっているのに、店長が持ってきた方は白木に近い色をしている。

「それは骨董商など、人の手を経たからかもしれません」

「だったら、白木に近い方は人の手を経ていないってことですか」

人の手を経ていない。ということはつまり、作られてすぐに保管された。さらに言うなら、白木の色合いを保っているのは、作られたのがさほど昔ではないという証拠ではないだろうか。

「明日にでも、店長に聞いてみましょうか」

それを聞いた瞬間、私は椿店長の表情を思い出す。これを見て遠方へと駆けていった店長。そもそもは、立花さんが菓子木型を作ってきた時点でおかしかったような気もする。

「あの、ちょっと待ってもらえませんか」

私が声を上げると、立花さんは不思議そうな顔をした。


こうしてお店に出て、短い間ながらも私は色々な人の顔を見てきた。そんな中、和菓子は人生の様々な局面に寄り添うということも知った。喜びの席に、悲しみの席。

(嬉しいことばっかりなら、悩まないんだろうけど)

和菓子の意味を知り、隠された意味について考えるのは楽しい。でも、だからといってお客さまの事情にどこまで踏み込んでいいのかはとても微妙な問題だ。椿店長を見ていると、その難しさがよくわかる。

　だからこそ今回は、いきなり切り込んではいけない問題のような気がするのだ。

「わかりました。では直接聞かずに、少し調べてみることにします」

　家に帰れば、木型職人の資料もありますし。立花さんがそう言ってくれたので、私はほっと息をついた。

＊

　その男が近寄ってきたときから、嫌な予感はしていた。

「おい、姉ちゃん。ここは何屋だ」

　閉店間際の午後七時半。ちゃんとしたスーツ姿なのに、あからさまに酔っぱらった感じで臭いもすごい。

「和菓子のみつ屋でございます」

　できるだけ普通に、と思いながら笑顔で対応する。

「わがしい？」

　ショーケースにもたれかかって、汚れた手でべたべたと触りまくった。ああ、せっかく綺麗にしたガラスに指紋がつきまくりだ。

「はい」

あえておすすめはせず、ただ笑顔。早く飽きて帰ってくれないかな。助けを求めるまでもないけど、立花さんは接客中でこちらに気がついていない。

「ぱっとしねえんだよな、和菓子ってのはよ」

はいはい。わかったから。

「もっとこう、ケーキみたいに派手にできないのかねえ。団子とか大福とか、地味でもっさりしててうんざりなんだよ」

「そうですか」

ムカつく。でも桜井さんの教えに従って、態度は崩さない。

「そういえばあんた、むちむち太って大福みてえだな」

ははは。笑い声を上げて、私を指さす。大丈夫。こんなのは慣れてる。だから動揺なんてしてあげない。だって小さい頃から、言われ続けてきたことだもん。

そのとき、接客を終えた立花さんがこちらに近づいてきた。表情で「大丈夫?」と問いかけられたので、「問題はないです」と微笑んでみせる。

しかし問題は、ここからだった。

「なあ兄ちゃん。この姉ちゃんは大福そっくりだよな」

まだ言うか。私は冷たい視線で男を見つめた。あんたなんか、立花さんの慇懃無礼攻撃にやられちゃえばいい。

「なあ？」

同意をうながすように、男は私と大福を交互に指さす。

すると次の瞬間、立花さんの口から耳を疑うような台詞が飛び出した。

「ええ。本当に大福みたいですよね」

は？　何を言ってるわけ？　私は思わず、彼を二度見する。

「おお、話がわかるな。んじゃあ大福姉ちゃんに免じて、買っていってやろう。大福三個だ。早く包んでくれ」

「かしこまりました」

ぺこりと頭を下げる立花さんの横で、私は立ち尽くしたまま動けずにいた。その間に立花さんは品物を包み終え、涼しい顔でお会計まで済ませてしまう。

「お買い上げありがとうございました」

「じゃあな姉ちゃん！　あんまり食い過ぎるなよ！」

ご機嫌で帰っていく男の背中をぼんやりと見つめながら、私はカウンターの陰で両手をぎゅっと握りしめた。

わかってる。百貨店のテナントとしては、事を荒立てないのが一番だってことは、よくわかってる。だから立花さんのとった行動は、あれで一つの正解なんだと思う。でも。

でもなんとなく、嫌だった。

味方をしてほしかった。

それくらいには仲良くなっていると、勝手に思い込んでいた。

「……お疲れさまです」

「え？　ちょっと待ってアンちゃん。せっかくだからケーキでも」

「用事があるので、お先に失礼します」

困惑する立花さんを振り切るようにして、ロッカールームに駆け込む。

悪気がないのはわかってる。それでも、今は話したくなかった。

小さい頃から、男子によくからかわれた。デブだとかブタだとかボールみたいだとか。

だから今でも若い男の人が苦手で、特にカッコいい人なんかには近寄りたくもなかった。

最初に会ったとき、立花さんは背が高くて都会的で、まさに私が一番苦手とするタイプだった。でも話してみれば内面は女の子よりも乙女で、誰よりも細やかな心を持っていた。

だから、わかってくれていると思ってた。

口を固く結び、社員用の出口を足早に通り抜ける。通路にはいつものように値引きのワゴンセールが出ていたけど、見ようという気にもならない。うつむいたまま電車に乗り、自分の家がある駅で降りた。

白い息を吐きながら、少しゆっくりとした足取りで歩く。何が『あなたは誰かの幸福なんだろう。『あなたは見るからに大福』の間違いじゃないんだろうか。

おめでたいはずのお正月なのに、私はこんなにへこんでる。幸福なんて、いったいどこにあるって言うんだろう。

まだお休みの店が多く、いつもより暗い商店街が何だかありがたかった。

ちょっとだけ泣いても、誰にもわからないから。

＊

間の悪いことに、翌日も立花さんと二人で遅番だった。

「なんだか梅本さん、元気がないわね」

大丈夫？　と椿店長にたずねられて私は力ない笑顔を返す。

「大丈夫です。ただ、昨日閉店間際に困ったお客さまがいたもので」

「あら。そんなことがあったなんて、まだ聞いてないわ。ちょっと立花さんに聞いてくるから」

　バックヤードには、ちょうど出勤してきた立花さんがいる。店長がそちらへ向かうと、私はふっとため息をついた。

　このみつ屋で働きはじめてから、あと少しで一年。職場の人にも恵まれ、ずっと楽しくやってこられた。お客さんには嫌な人もいたけど、それは別にかまわなかった。なのに今、私は初めてこの職場を辞めたいと思っている。

（……でも、こんなの理由にならないよね。自分だってよくわからないのに）

　辞めたいけど、すごく本気で辞めたいわけじゃない。だってここの皆は好きだし、お給料にだって大満足だ。じゃあ立花さんが嫌なのかというと、そうでもない。

　結局、どうなりたいんだろう。辞めたところで他にやりたいこともないし、いっそ本当に師匠のお店で使ってもらおうか。

　私はもやもやとした気持ちを抱えたまま、淡々と仕事をこなす。

　そんな中、いきなりバックヤードから声が聞こえてきた。

「……この、あんぽんたんっ‼」

あんぽんたん？　死語を思わせる文句に、私は思わず背後の壁を振り返る。耳をそばだてると、さらに何やらどたばたとした音も聞こえてきた。

何が行われているのか、あまり考えたくない感じがする。

「お待たせ」

すっきりとした顔で戻って来た店長は、後ろにうつむいた立花さんを従えていた。

「もう大丈夫よ、梅本さん。ちょっとした行き違いがあっただけだから」

「え――」

よく見ると、立花さんの頬が軽く腫《は》れている。店長、おそるべし。

「あの、実は昨日の言葉はそういう意味じゃなくって……」

そう言いながら、立花さんが深く腰を折った。

「誤解を生むような態度をとって、申し訳ありませんでした」

「というわけで、後で立花さんから詳しい説明があるそうよ。だから今日は、一緒に上がってあげてね」

「あ、はい……」

嫌とは言えない雰囲気に、私はついうなずいてしまう。

店長は店を出る間際、もう一度私に念を押した。

「憂鬱だとは思うけど、とりあえず一回は話を聞いてあげてね」

私が黙ってうなずくと、店長は肩を軽く叩く。

「許してあげないまま別れると、後にしこりが残るものよ」

「別れるなんて」

「ものの例えよ。たとえばささいなことでケンカした後、その相手が事故にでも遭ったりしたら、どうしようもないじゃない？」

ま、そんな韓流《ハン》ドラマみたいなことはそうそうないけど。店長はそう言って笑うと、タイムカードを押した。

＊

気まずい。超絶気まずい。

私は喫茶店の椅子の上で固まったまま、目の前で湯気を立てるカフェオレを見つめている。

「その……」

　さっきから、口を開きかけては閉じるという行為を繰り返す立花さん。ここにケーキでもあれば間《ま》が持つんだろうけど、立花さんが選んだのはよりによってスフレのおいしいお店だった。できたてを食べさせてくれるので、焼き上がりまで二十分。間が持たない。

　もう、誰でもいいからなんとかしてほしい。そんななげやりな気分になった頃、立花さんはテーブルにいきなり突っ伏した。

「ご、ごめんね。アンちゃん！　本当に悪気はなかったんだ！」

　そう言い放つなり、派手な嗚咽《おえつ》を漏らしはじめる。

「だってアンちゃんって色白くてふくふくだし、ほっぺたなんかできたてのお餅みたいだし、いい意味で、似てると思っただけなの！」

（ちょ、ちょっと。それって反則。ていうか、逆じゃないのー!?）

　目の前で泣かれて困惑するなんて、普通男の方のような気がするんですけど。私は固まったまま、かろうじて口を開く。

「あの、立花さん」

「な、なに!?」

　ものすっごい鼻声。

「えーと、わかりましたから」

真っ赤な目で、私を見つめる。いや。そんな可哀相なウサギみたいにならなくても。

「誤解は解けましたから」

「……怒ってない？」

「怒ってません」

ていうか、怒る気になれないでしょう。私はため息をつくと、ゆっくりとカフェオレのカップを持ち上げた。


乙女はハンカチで涙を拭《ぬぐ》うと、ティッシュを取り出して鼻をちんとかむ。

「あのね、ところで今日つきあってもらったのにはもう一つ理由があるんだ」

そう言いながら、立花さんはミルクティーをかき回した。

「例の菓子木型なんだけど、ちょっとわかったことがあって」

「どんなことですか」

「あの木型、下司板の方は色が淡くて比較的新しかったでしょ？　だから作ったのは最近の人だろうと思って、師匠の知り合いの木型職人さんに聞いてみたんだ。現役の職人さんなんて、今や全国でも少ないからね」

立花さんは携帯電話を取り出し、そこからメモ欄を呼び出す。

「そうしたら、『型風』は最年少の木型職人だったことがわかった」

「だった……？」

もしや、という思いで私がたずねると、立花さんは悲しそうな顔でうなずいた。

「五年前、その若い職人は休暇をとって旅に出た。砂糖や木型が伝来した道を辿るための旅行で、シルクロードに近い道のりを辿っていたらしい」

まさか。私の頭の中に、怪しい骨董商の言葉が甦る。あれは、どこで手に入れたものだって言ってた？

「じゃあ、中国にも……」

「そう。その移動中、『型風』は事故に遭って帰らぬ人となった」

私は思わず、両手で口を覆った。

だって。だってあの木型には、椿の花が彫りかけだったのに。

若くして世を去った菓子木型職人。椿店長のおかしな態度。対の下司板。それらを合わせると、今まで見て来た光景が一つの流れとなって頭の中でつながった。

「私にも、戻ってきてほしい人がいます」

去年のお盆、悲しみに沈む杉山様に向かって店長はこう言った。

「だからこれからの数日は、久しぶりのデートだと思うことにしているんですよ」

さらについ数時間前、私はこんな台詞を聞いている。

「たとえばささいなことでケンカした後、その相手が事故にでも遭ったりしたら、どうしようもないじゃない?」

本当だったんだ。「そんな韓流ドラマみたいなこと」は、きっと現実に起こっていたことに違いない。

涙を、こらえることができなかった。

「直接聞かなくて、本当に良かった。アンちゃんのおかげだよ」

同じく涙声で、立花さんがつぶやく。

「いえ、そんな……」

「黙って、いようね」

私たちは顔を見合わせて、こくこくとうなずきあった。

「あの、お客さま――」

ぐすぐすと向かい合って泣いている私たちの前で、スフレを持ったウエイトレスさんが戸惑っている。しかし次の瞬間、彼女は素早く器をテーブルに置いた。

「三十秒!」

「え」

「三十秒でしぼみはじめますから、早く召し上がって下さい。焼きたてのスフレを前にしたら、すべては後回しです」

そう言って、チョコレートとオレンジのソースを示す。

「スプーンを持って。早く！」

「はいっ!!」

立花さんと私は、うながされるままに熱々のスフレにスプーンを差し込んだ。甘い香りの湯気が、もわっと立ち上る。それをすかさず口の中に入れると、もう黙るしかなかった。

食べている間、湯気がまたじわりと涙を誘う。恋をしている人は、みんな綺麗だ。桜井さんも杉山さまも椎名さまも、そして椿店長も。たとえそれが、今はなき相手との恋だとしても。

いつか私も、あんな風に綺麗になれるんだろうか。やわらかなスフレを口に運ぶと、あっという間にふわふわしゅわしゅわと儚《はかな》く消えてゆく。

ただ、甘い記憶だけを舌に残して。

＊

帰り道、歩きながら立花さんはちらちらと私を見る。

「あのね、怒らないでほしいんだけど」

「なんですか」

「アンちゃんはね、本当に大福みたいだと思うんだよ」

もういいっちゅうの。私がため息をついても、さらに続ける。

「いつもそばにあって安心できて、お腹を一杯にしてくれる。そんな大福がね、本当は和菓子の中で一番好きなんだ」

「……そうですか」

そんなカミングアウトをされてもねえ。

「でね。名前がさ、特にアンちゃんみたいだって思った」

「名前？」

「大きな福って書いて大福、だから」

そのとき、私は辻占から出て来た言葉を思い出す。『あなたは誰かの幸福』。

(それも悪くないか)

私がいることで、誰かが幸福になれるならそれもいい。たとえ私自身が幸福じゃなくても、それはそれでありだという気がしてきた。

学歴もなく手に職もなく恋人もいない。そんな私の存在を認めてくれる人たちがいるのは、すごくありがたいことだと思う。

「アンちゃんは、周りの人を幸せにするよ」

「あ、ありがとうございます」

ちょっと照れくさくて、でも思ったよりなんだかずっと嬉しくて、私はふいと目をそむけた。その視界に入ってくるのは、金平糖《こんぺいとう》のような街の灯り。

「だから——辞めないでね」

上から聞こえてくる声に、私はこくりとうなずいた。

「和菓子は、アンがなくっちゃはじまらないんだから」

あとがき

和菓子に目を向けたのは、ほんの気まぐれでした。

新しい作品を書くにあたって決めていたのは、デパートの地下食品街、通称「デパ地下」を舞台にすること。そして次にどんな店を選ぶかという段になって、私は悩みました。お惣菜屋やパン屋などは活気があって面白いけれど、忙し過ぎて推理なんかしてる余裕がなさそうだ。かといってお酒売り場やお茶売り場では通りかかる人が限られていそうな気もする。

「やっぱりここはお菓子だろう」

しかしふと考えてみると、洋菓子を題材にしたミステリはすでに複数存在しているのです。ただ、デパ地下という因子を加えたものは記憶にないので、そのラインで進めることも可能でした。

そんなとき、頭の中に主人公の女の子がぽかりと浮かびました。

お団子とか大福が似合う、ふっくらとした女の子。

「そういえば、ミステリに和菓子ものってないような」

思いつくままに資料を読んでみると、これが面白い。和菓子の世界は、見立てや言葉遊びに満ちているのです。

「これはそのまま、ミステリになるなあ」

暗号のような菓子名や、基礎知識がないと来歴すらわからない菓子。私はあっという間に、和菓子の世界に引き込まれて行きました。

食べておいしい上に、物語を孕《はら》んだ和菓子。そして和菓子を学ぶことは、そのまま日本の歴史を学ぶことでした。

唐からの伝来菓子に、日本国内での砂糖の解禁、そして生産。貴族の流行から生まれた菓子もあれば、庶民のおやつが定番と化したものもある。中でも外せないのは、「和菓子」というジャンルを確立した、お茶席の菓子。

あまづらの汁から始まって、苺大福やチョコレートどら焼きに至るまで。それは、私たちが食べながらつないできた歴史です。その一端を担っていると思うと、ありふれた大福がちょっとすごいものに見えてきたりしませんか。

なんてことを言い訳にしながら、今日も私は目の前のお菓子に手を伸ばします。余談ですが、個人的に好きなのは『二人静』とブラックコーヒーの組み合わせ。口の中ですっとはかなく溶けて消える甘味は、原稿の友として最高です。

最後に、左記の方々に心からの感謝を。

「ジャーロ」の連載時に担当して下さった北村一男さんと、書籍化にあたり担当して下さった鈴木一人さん。いつも最高の形で仕事をさせていただき、ありがとうございます。野間美由紀さんには、連載時においしそうなイラストを多数描いていただき、装幀の石川絢士さんには、今回も素敵なデザインを施していただきました。私を支えたのはKの存在とAのVサイン。生活全般は家族と友人に支えてもらいました。特に二人の母には感謝です。

そして最後に、このページを読んで下さっているあなた。よかったら今度、団子でも一緒に食べませんか。

文庫版あとがき

さっき、夜中なのに水羊羹を食べてしまいました。有名店のもの？　それとも無名だけど近所で作り立てのもの？　いえいえ違います。お中元の残り的な、缶入りのあれです。

静かな夜。冷蔵庫の奥で眠りについていた缶を引っ張りだし、おもむろに上の蓋をぱかんと開ける。するとそこに、おもちゃかと言いたくなるような極小サイズのスプーン。

「こんなので食べろって言われてもねえ」

なんて言いながら、今度は缶の蓋をぱっかん。すると、そこには缶蓋のくぼみがついた薄紫色の羊羹が。ちっちゃいスプーンで少しすくって、落ちないようにそろそろと口に運ぶ。

きん、と冷たい。凍る直前の、氷あずきのような食感。冷蔵庫に長く入れすぎたせいで、冷えすぎていたのだ。

「和菓子は冷たすぎない方がいい、とか書いてるくせにさ」

ふっと笑いがもれる。でも、こういうジャンクな食べ方も好きなのだ。

冷蔵庫に寄りかかって、立ったまま食べる。真夜中に、ぴんと張った糸のような甘味。

食べ終わって、水出しの紅茶をごくごく飲む。一息。

和菓子には、こんな風景もあります。


文庫化にあたり、左記の方々にあらためて感謝を。

読んでいてわくわくするような解説を書いてくださった藤田香織さん。単行本に負けず劣らず可愛い装幀をしてくださった石川絢士さん。ことあるごとに、和菓子取材におつきあいいただいている光文社の皆さん。営業や販売などでこの本に関わって下さったすべての方々。そして何より、この本を今読んでくれているあなたに。

(ちなみに、固くなった大福を焼いたものも好物です)

解説

藤《ふじ》田《た》香《か》織《をり》
（書評家）

突然ですが、みなさん。和菓子は好きですか？

もちろん「大好き」だからこそ、タイトルに惹かれこの本を手に取った、という方も大勢いらっしゃるでしょう。けれどその一方で「実はあまり興味がない」という人も、決して少なくないのが実情かと思われます。

かく言う私も洋菓子派か和菓子派かと問われれば、かつては断然「洋菓子派」でした。ミルクとバター最高！　生クリームとカスタード？　両方食べたい！　プリンとムース？　いくらでも食べたい！　生チョコとガトーショコラって、それ比べるものじゃないし。タルトにマドレーヌ、フィナンシエ、ブラウニー、クッキー、パイ、ガレット……焼いて焼いて、どんどん焼いて！　ってなもので、パンナコッタやカヌレ、マカロンやロールケーキのブームにも、これ幸せ、とばかりに飛びついた過去もあります。

味の幅広さは言うまでもありませんが、洋菓子の素晴らしい点といえば、やはりなんといってもあの幸福感。店に一歩足を踏み込んだ瞬間から確実にテンションは上がるし、色とりどりのケーキ類を「どれにしよう」と選ぶのは、こんな幸せな「悩み」があっていいのか、と思うほど。誕生日やクリスマス、贈り物や祝い事など、洋菓子はなにかと嬉しい記憶とセットになっているのも大きいような気がします。

それに比べて和菓子は、存在自体がなんか地味。大福やお団子、最中やどら焼きが、嫌いなわけじゃないけれど、気持ちが浮き立つ、パッと見た瞬間に心華やぐ、というものではないし、「形」は違えど「味」の幅は洋菓子ほど広くはない。洋菓子と比較したらちょっと分が悪いよね、と長年思っていたのです。

ところが。二〇一〇年四月に発売された、この『和菓子のアン』(光文社)の単行本を読んで、その印象は一変しました。私はただ、「知らなかった」だけなのです。和菓子の種類を、味を、そこに秘められた「物語」を。

最初に断言致しましょう。これまで洋菓子派だった人も必ずや、地味だけど滋味掬《きく》すべき味わいがある和菓子の魅力に開眼すること確実。美味しくってためになる、本書は多幸感に満ちた物語なのです。

その主人公となるのは、十八歳の梅本杏子《うめもときょうこ》(通称アンちゃん)。高校は卒業したものの、大学に行くほど勉強は好きではないし、専門学校に行くほど好きなことも見つからず、さりとていきなり就職するのもピンとこない、というアンちゃんが〈このままじゃただのニートになっちゃうよ！〉と気持ちを焦らせ、アルバイト探しに本腰を入れる五月から物語は動き始めます。特別な資格も経験もない十八歳女子の身としては、販売職が狙い目とは思いつつ、けれどアンちゃんには服飾系やお洒落な雑貨、ジュエリーショップは身長百五十センチで体重五十七キログラムの自分には無理、という自覚がありました。飲食店もラブリーな制服があるところはダメ。かといって、いきなり定食屋や居酒屋というのも、うら若き乙女心が満たされない。地元の商店街なら働き口がないわけじゃないけれど、それもちょっと避けたいし、と、あれこれ悩んだ結果辿り着いたのが、都心にほど近い街に建つ「東京百貨店」の地下に出店していた『和菓子舗・みつ屋』。無事、店長の椿《つばき》さんに採用を即決され、ここからアンちゃんの、約一年に亘る日々が描かれていきます。

まずはその、デパ地下にある和菓子店という舞台設定こそが「読者の幸せ」のひとつとなっています。美味しん坊&食いしん坊にとって、デパ地下は魅惑の迷宮と言っても過言ではないけれど、本書では『みつ屋』を筆頭に、多彩な店と、それを内包するデパートの舞台裏を覗き見ることができる。隠語や店によって異なる一日の流れや春夏秋冬季節による売り場の変化。休憩室や社員食堂、更衣室、従業員用出入り口やお客さんには表示されない「忍者の隠し部屋」的フロアの存在。主題は別にあるにもかかわらず、こうしたさり気ない場面描写でヤジウマ心を満たしてくれるのが実に心ニクイ。

そうした物語の「箱」に収められている、肝心の「中身」には、坂木作品の基本スタイルともいえる、大きなふたつの要素が丁寧に詰められています。それは「主人公の成長」と「日常の謎」。和菓子のことなど、ほとんど何も知らなかったアンちゃんが、売り場に立ち、お客さんと接するうちに、少しずつやりがいを感じ、仕事の意味を学んでいく。その「気付き」のきっかけとして「謎」が作用しているのです。

前回は二種類の上生菓子を均等に五個ずつ買って行ったお客さんが、今回は『おとし文』を一つ、『兜』を九つという不思議な割合で求めた理由は何なのか。乾燥を敵とする上生菓子を六時間以上持ち歩きたいと言うお客さんの意図とは？　ヤクザまがいの男性客の正体と、彼が口にした「腹切り」「こなし」「半殺し」など何やら物騒《ぶっそう》な言葉の意味。同じデパ地下仲間の洋菓子店『金の林檎』の派遣さんが大量にケーキを持ちかえる理由と、「兄」という隠語の意味。フォーチュンクッキーの元祖とも言われる『辻占』の紋様解読――。

『おとし文』、『星合』、『鵲』、『松風』、『嵯峨野』、『おはぎ』の七変化。〈大学に行きたいって思うほど勉強が好きじゃない〉アンちゃんが、キャラ立ち抜群の『みつ屋』の仲間＝

見かけは上品なのに中身にはおっさんが住んでいる椿店長、知識豊富な職人志望のイケメンだけど心は乙女な立花《たちばな》さん、華奢で可愛らしい顔立ちの女子大生と思いきや実は元ヤンだった桜井《さくらい》さん、そして訪れるお客さんたちに教えられ、導かれ、発見し、取得していく和菓子の知識は、同時に読者の楽しみにもなっていきます。

二〇〇二年のデビュー作『青空の卵』（東京創元社→創元推理文庫）、『仔羊の巣』（同）、『動物園の鳥』（同）のひきこもり探偵シリーズで注目された著者は、本書以外にもこれまでに「お仕事系日常の謎小説」を手掛けてきました。『切れない糸』（東京創元社→創元推理文庫）ではクリーニング店、『ワーキング・ホリデー』（文藝春秋→文春文庫）と、続く現時点での最新作でもある『ウィンター・ホリデー』（文藝春秋）では宅配便会社で働く主人公の姿が描かれ、『シンデレラ・ティース』（光文社→光文社文庫）では歯科医院が、『ホテルジューシー』（角川書店→角川文庫）では沖縄の安宿が舞台（この二作は主人公同士が親友という姉妹作でもあります）となり、それぞれに、その仕事ならではの謎と発見がありました。

そうした主人公たちのなかでも、アンちゃんは最年少でまだ十代。当然戸惑うことも多いし、喜びだけではなく、哀しみや憎しみ、迷いや不安を抱くことも少なくありません。けれど、著者である坂木さんは、そうした人生の苦味を予《あらかじ》め除《よ》けたりはしない。苦味もまた、心の成長に必要な栄養のひとつであるという親心も、味わい深い物語の旨味となっているのです。

もうひとつ。坂木作品を読み継いできた読者のなかには、もうお気付きの方もいると思いますが、本書にはちょっとした隠し味として作品リンクも存在します。アンちゃんとお母さんの会話で話題にあがる同じ商店街のクリーニング屋さんは、『切れない糸』の〈アライクリーニング〉に他ならず、この作品では「パートの梅本のおばちゃん」は、とにかく食べることが大好きな陽気で話好きな人物として登場し、アンちゃんも、商店街のケーキ屋（『洋菓子かとれあ』のことですね）で主人公によく目撃されています。また「東京百貨店」の配送で二十三区内と近隣県を担う「ハチさん便」は、『ワーキング・ホリデー』と『ウィンター・ホリデー』の主人公・大和の勤務先。未読の人は、本書の後にこちらも手に取ると、物語が広がる楽しみをきっと体感できるはず。それもまた幸福のひとつといえるでしょう。

そして最後に。アンちゃんとイケメン乙女な立花さんの微妙な関係が気になっている方にも朗報が。雑誌「小説宝石」で始まった企画のひとつとして、同誌の二〇一二年二月号で、本書の続編「空の春告鳥」が発表されたのですが、そこではなんとふたりが中華街にデート（!?）に出かけています。果たしてこれからどんな展開が待っているのか、大いに期待して更なる次作を待ちたいところです。

作中で「知ることで和菓子はもっともっとおいしくなる」とアンちゃんが思い至ったのと同様に、「坂木司は知ることでもっともっと面白くなる」。

本書を読み終え和菓子屋さんに走るついで（失礼）に、ぜひ本屋さんにも足を運んでみて下さい。

〈参考文献〉
『和菓子ものがたり』中山圭子　新人物往来社
『事典　和菓子の世界』中山圭子　岩波書店
『ＮＨＫ美の壺　和菓子』日本放送出版協会

〈初出〉
季刊「ジャーロ」二〇〇八年冬号〜秋号、二〇〇九年夏号、秋号

二〇一〇年四月　光文社刊

光文社文庫

和《わ》菓《が》子《し》のアン

著　者　坂《さか》木《き》　司《つかさ》

2012年10月20日　初版1刷発行
2024年1月20日　27刷発行

発行者　三宅貴久
印　刷　萩原印刷
製　本　ナショナル製本

発行所　株式会社　光文社
〒112-8011　東京都文京区音羽1-16-6
電話 (03)5395-8149　編集部
8116　書籍販売部
8125　業務部

ISBN978-4-334-76484-5　Printed in Japan

組版　萩原印刷